Labiche et son théâtre

Lebkuchen-Kultstätte

JACQUELINE AUTRUSSEAU

Labiche et son théâtre

Essai

L'ARCHE
86, rue Bonaparte
Paris 6e

I

EUGÈNE LABICHE

« *Ma vie a été trop heureuse pour que ma biogra-phie soit intéressante* », écrivait Eugène Labiche à Nadar en 1859. Et, plus tard, à un correspondant curieux : « *Je suis vraiment honteux de la simplicité de mon début. J'aurais voulu pouvoir vous faire assis-ter à une lutte pleine d'angoisse et de péripéties ; mais je n'ai eu qu'à tirer le cordon pour entrer* [1]. »

Aucun document jusqu'à présent n'est venu démen-tir ces assertions tranquillement provocantes : la vie personnelle et la carrière de Labiche sont apparem-ment « sans histoires » et, pourquoi pas ? heureuses.

Né à Paris le 6 mai 1815, pendant les Cent Jours, Eugène Labiche, dont le père exploitait une fabrique de « sirop et glucose de fécule », est issu d'une famille beauceronne. Agriculteurs sous l'ancien ré-gime, les Labiche se divisent en commerçants aisés et notaires de campagne. Eugène reçoit l'éducation de tout enfant de la bourgeoisie louis-philipparde ; à cela près que, considéré comme fragile à la suite d'une fièvre thyphoïde, il est l'objet des plus grands ménagements. Elève au collège Bourbon (plus tard lycée Condorcet), on veille à ce qu'il travaille peu. Précaution d'ailleurs superflue, car il préfère les exercices physiques à la composition des vers latins. Une excellente mémoire lui permet cependant de passer brillamment le baccalauréat ès lettres, dont il a appris par cœur le manuel, sans cesser de mépriser

---

1. Cité par Gilbert Sigaux dans la « Note » sur *Monsieur de Coyllin ou l'homme infiniment poli*, Œuvres complètes de Labiche, tome I, Club de l'Honnête homme, 1966-1968.

7

une culture classique à laquelle, tout au long de sa vie, il n'épargnera pas les sarcasmes.

De son enfance, de sa vie familiale, il ne parle pas. La mort de sa mère, survenue alors qu'il a dix-huit ans, est seulement mentionnée, un an plus tard, dans son *Journal* de voyage en Italie, où il note, le 9 mai 1834 : « *Il y a un an, à pareille heure, j'avais encore une mère : c'était le dernier soleil qui devait éclairer sa vie et le premier qui devait éclairer ma douleur.* » Ce voyage en Italie, entrepris avec ses anciens camarades de classe, Delestrée, Edouard Jolly et Alphonse Leveaux, lui donne l'occasion d'exprimer quelques enthousiasmes artistiques. Il décrit volontiers monuments et paysages, s'intéresse beaucoup moins aux habitants, voire aux habitantes. Lui qui écrivait, au moment du départ, « *Le principal pour nous, c'est le bon et le pas cher* », déplore de n'avoir pu réunir ces conditions lors d'une visite aux prostituées de Naples : « *Celle qui me tombe en partage est une Viennoise assez belle. Mais elle est sale et sent la crasse. Après de grandes difficultés je fais ce qu'un homme doit faire. Ma foi c'est bien peu de chose. L'imagination exalte beaucoup la chose. C'est deux francescone perdus* » (15 mars 1834).

Au retour, les jeunes voyageurs font halte en Suisse. Ils y sont rejoints par le père de Labiche. Peu après avoir, dans son journal, évoqué la douleur du veuf (« *Dans ce moment, mon pauvre père isolé prie pour elle* »), le jeune homme mentionne avec bonhomie les incartades paternelles : « *... Je monte une faction dans le cabinet, ne pouvant sortir pour ne pas troubler le doux entretien de mon père avec une jolie femme de chambre. Il veut lui donner un baiser de père, sur le front* » (7 août 1834). Loin de sermonner son fils, M. Labiche adopte volontiers ses manières : « *Papa... devient jeune homme à la mode fashionable anglais, il prend du thé et fume. Jeune France.* »

8

Si peu profonde qu'apparaisse l'influence sur Labiche du romantisme à son déclin, la création de
Chatterton en 1835 le bouleverse au point qu'il écrit,
aussitôt sorti du théâtre, le 12 février, à son ami
Alphonse Leveaux : « *Je suis encore tout palpitant.
Mon cœur saigne, comme broyé dans un étau. Je
n'ai pas dans la tête une idée saine, ma cervelle est
à l'envers, j'ai la fièvre [...]. Mon sommeil sera un
sublime cauchemar, le drame de Vigny m'emplit ; il
circule dans mes veines ; c'est mon sang.* » Mais,
sans transition, il plaisante : « *Bonsoir, je radote ;
je vais fermer ma lettre, car si je la relisais j'aurais
honte demain d'avoir été fou ce soir* [1]. »

Folie sans lendemain en effet : c'est à cette époque
que, sur le conseil de son père, Labiche entreprend
des études de droit. Il obtient la licence sans fatigue,
mène une « vie de garçon » assez raisonnable, fré-
quente les coulisses des théâtres et bientôt s'efforce
de tirer profit, non de ses connaissances juridiques
mais de son « esprit » boulevardier. Il collabore à
divers petits journaux (*L'Essor, La Revue de France,
Chérubin*), précaires et assez peu lus. Il publie quelques récits d'inspiration romantique (*Pauvre femme !,
Les plus belles sont les plus fausses, Dans la vallée
de Lauterbrunnen, L'Eau qui bruit...*), mais réussit
mieux dans les chroniques fantaisistes, tel le récit
publié dans *Chérubin* d'un voyage en diligence, *De
Paris à Melun*, où sont décrits avec une égale férocité
le bourgeois, « bonnet de soie noire », et l' « artiste »,
« foulard rouge ». La *Revue du Théâtre*, enfin, le
charge d'une chronique théâtrale régulière, où il fait
montre d'une causticité bien parisienne et d'un intérêt réel, mais non passionné, pour l'art dramatique.
Amusante et sans grande ambition est aussi, dans

---

1. Lettres de Labiche à Alphonse Leveaux, citées dans
l'ouvrage inédit d'Alphonse Leveaux, *Lettres et souvenirs
d'Eugène Labiche*. Cf. Jacques Gilardeau : *Eugène Labiche,
Histoire d'une synthèse comique inespérée*, thèse pour le doctorat ès lettres présentée à la Faculté des lettres et sciences
humaines de l'Université de Paris, 1970.

la même revue, l'*Histoire politique et dramatique de la ville de Rueil,* présentée comme une série de lettres qu'adresse un bourgeois de la ville au directeur de la revue : on y voit comment les préoccupations politiques viennent aux citoyens de Rueil du fait de la Révolution de juillet qui eut pour conséquence la création d'une garde nationale, désormais rivale du corps des pompiers.

C'est seulement en 1839 que Labiche publiera un roman composé dès 1836, *La Clef des champs,* qu'on lut peu, n'apprécia guère, et que l'auteur lui-même retira très vite du commerce. Le sous-titre, « Etudes de mœurs », souligne l'aspect critique que Labiche voulait sans doute faire prévaloir dans ce récit d'une adolescence ; et certes on y voit parfois, maladroitement caricaturée, la vie des petits bourgeois du temps. Mais *La Clef des champs* est peut-être la seule ébauche de « confidence » que se soit permise l'auteur, même si les éléments autobiographiques y sont travestis ou déplacés.

Romancier malchanceux, Labiche va aborder sereinement une carrière plus rentable, celle de dramaturge. « *Pour faire une pièce* », a-t-il écrit plus tard, « *je cherche d'abord un collaborateur.* » A vrai dire, les œuvres théâtrales s'écrivaient alors surtout en collaboration, d'où le mépris dans lequel étaient tenus les auteurs. Balzac note, en 1837, dans *Les Employés :* « *Un auteur dramatique, comme peu de personnes le savent, se compose d'abord d'un* homme à idées, *chargé de trouver les sujets et de construire la charpente ou* scenario *du vaudeville ; puis d'un* piocheur, *chargé de rédiger la pièce ; enfin d'un* homme-mémoire, *chargé de mettre en musique les couplets, d'arranger les chœurs et les morceaux d'ensemble, de les chanter, de les superposer à la situation.* » Rien ne prouve que la répartition des tâches ait été aussi précise entre Labiche et ses premiers collaborateurs, Marc-Michel et Auguste Lefranc, rédacteurs comme lui des « petits journaux », désireux comme lui d'accroître leurs revenus. Il s'agit si bien en tout cas, pour les trois amis, d'une entreprise commerciale, qu'ils fondent par contrat une société, s'engagent à ne travailler qu'ensemble pendant dix ans et à refuser toute collaboration étrangère. Clause qui ne sera respectée que deux ans, il est vrai. Marc-Michel cependant signera quarante-huit pièces avec Labiche, Auguste Lefranc en signera trente-six. Notons déjà que sur les cent soixante-quinze pièces qui constituent le répertoire labichien, quatre seulement sont signées de l'unique nom de Labiche.

Le « genre » le plus en vogue est alors le vaudeville, forme de pièce à couplets qui a fait fortune dès la fin du XVIIIᵉ siècle, où Barré et ses collaborateurs font triompher *Arlequin afficheur* (1792) et *La Chaste Suzanne* (1793). Avec Scribe le vaudeville s'est voulu plus noble : l'ingénieux — pour ne pas dire laborieux — agencement des situations se met au service d'intentions satiriques ou « philosophiques » : Scribe développe volontiers la théorie des petites causes et des grands effets. Deux courants se dessinent, à l'époque où Labiche débute : la comédie-vaudeville, qui fait une grande place aux « caractères », et le vaudeville bouffon, soucieux uniquement de nouer et dénouer, dans le temps requis et avec le maximum de virtuosité, les plus extravagants imbroglios. Autre distinction : le « vaudeville à poudre » met en scène des nobles de l'Ancien Régime — dont le comportement et les préoccupations se calquent d'ailleurs sur ceux des contemporains —, le « vaudeville napoléonien » fait un sort aux militaires. Plus rarement, la scène se passe « de nos jours ». Les deux premières œuvres de Labiche et de ses collaborateurs tendent l'une vers le « vaudeville à poudre », l'autre vers le drame ; en fait, l'une et l'autre peuvent difficilement prétendre à l'originalité de l'inspiration : *Monsieur de Coyllin,* créé sans éclat en 1838, s'inspire largement d'un récit de Paul de Musset, et *L'Avocat Loubet,* accueilli avec faveur la même année au Théâtre du Panthéon, n'est que l'adaptation d'un récit d'Henri Arnaud (pseudonyme de Madame Charles Reybaud), publié en 1837 dans la *Revue de Paris.*

Bien que, pour *L'Article 960 ou La Donation,* Labiche, Lefranc et Marc-Michel, signant sous le pseudonyme collectif de Paul Dandré, se soient adjoint un quatrième coéquipier, l'auteur déjà connu Jacques Ancelot, cette pièce, jouée en 1840, dans une petite salle de la Porte Saint-Denis baptisée Théâtre du Vaudeville, est la première où apparaissent certains des thèmes que reprendra inlassablement le théâtre de Labiche.

Se succèdent alors *Le Fin mot, Bocquet père et fils, Le Lierre et l'ormeau,* d'inspiration inégale, où le souci de plaire sans choquer l'emporte sur la libre invention. C'est néanmoins un jeune auteur très solvable qu'épouse, en 1842, Adèle Hubert, héritière cossue de dix-huit ans, même si le beau-père met comme condition au mariage le renoncement du « prétendu » à sa carrière théâtrale. Labiche se soumet et, pendant un an, cesse d'écrire. Plus tard Meilhac, dans son discours de réception à l'Académie Française, où il succéda à Labiche, évoquera cette période de stérilité forcée, qui aurait pris fin de façon éminemment édifiante : « *Malgré tout, il eût tenu la parole qu'il avait donnée, ou que l'on avait donnée pour lui, mais les personnes graves avaient de l'esprit, sa femme aussi en avait... Un beau jour elle prit la plume qui, depuis plus d'une année, restait là, inutile. Elle la tendit à son mari en lui disant :* « *Va te battre !* » *Et Labiche retourna à la bataille...* » Il est possible aussi que Labiche se soit emparé de son « arme » sans l'aide de personne. Le beau-père, en tout cas, eut bien raison de ne pas proférer alors la formule vengeresse d'*Un chapeau de paille d'Italie,*

12

« *Mon gendre, tout est rompu !* » Car le succès ne cessa de s'affirmer et le jeune ménage de prospérer.

A partir de 1843, et quels que soient ses collaborateurs, Labiche produit sans relâche. Est-ce pur hasard si les beaux-pères irascibles et abusifs font leur apparition dans nombre des pièces en un acte créées alors, du *Major Cravachon* à *Un jeune homme pressé* et *Une chaîne anglaise,* en passant par *Deux papas très bien.* D'autres thèmes aussi se précisent, élaborant peu à peu *Un chapeau de paille d'Italie.*

La révolution de 1848 survient, « mouvement qui déplace les lignes » dans l'existence paisible des Labiche : l'auteur du *Major Cravachon* se porte candidat aux élections législatives dans le département de Seine-et-Oise. Ses convictions républicaines semblent des plus modérées. Lui qui, en 1835, s'attendrissait, dans *L'Eau qui bruit,* sur le sort des opprimés (« ... *Déshérités de toutes les joies de la vie, il ne leur reste plus qu'une volupté, une volupté de nature que la société ne peut leur prendre, celle de la chair, et ils s'y ruent de toute l'énergie de leur malheur. Mais l'Etat trouve son compte à cette fécondité pullulante du grabat et de la misère, il se sert du pauvre comme d'un étalon pour alimenter ses régiments* »), se préoccupe essentiellement, en 1848, de la liberté des patrons : « *Le gouvernement provisoire, en voulant par la manière forte améliorer le sort de l'ouvrier, a fait fausse route : le patron a souvent été contraint, par les lois sociales, de fermer l'usine, gagne-pain du salarié. La vraie solution est celle de la liberté* [1]. » Au terme d'une campagne peu brillante, il n'est pas élu, et entreprend de régler à la scène le compte des démocrates. C'est *Le Club cham-*

---

1. Proclamation distribuée aux électeurs. Les documents concernant la campagne électorale de Labiche ont été publiés dans *Le Crapouillot,* numéro spécial de juillet 1929. Les notes rédigées à cette époque sont reproduites par J. Wogue, dans « Une Leçon politique de Labiche », *La Grande Revue,* septembre 1934.

penois, plate satire de la démagogie, et surtout *Rue de l'homme armé, nº 8 bis,* dont les outrances anti-républicaines obligent Cavaignac lui-même à exiger la suppression d'un acte entier par crainte des manifestations. La lecture de la pièce est aujourd'hui plus attristante qu'irritante. Cette histoire d'un propriétaire qui découvre, en même temps que l'horreur de la révolution, la difficulté d'être propriétaire, n'a d'autre intérêt — mais il n'est pas négligeable — que de mettre en lumière le principe de fonctionnement mental qui prévaut chez Labiche : le monde, selon qu'il plaît ou déplaît au dramaturge tout-puissant, est blanc ou noir, à l'endroit ou à l'envers, pas de place pour un troisième terme, les profiteurs du jour n'ayant supplanté ceux de la veille que pour leur faire subir ce qu'eux-mêmes ont subi. Vision de l'histoire qui exclut évidemment toute pensée politique mais sous-tend bon nombre de situations théâtrales.

La fin de *Rue de l'homme armé* peut faire sourire, où l'acceptation de la propriété apparaît comme une indispensable audace :

CHEVILLARD [propriétaire] : *... Nous vendrons la maison !... parce qu'une maison, c'est l'enfer !... c'est une sangsue attachée à votre gousset !... un ver qui vous ronge ! c'est une table sans pain !... c'est une cheminée sans feu !... Enfin, c'est... c'est...*

CLIQUET [domestique, ancien « révolutionnaire »] : *C'est... c'est... c'est égal... si on veut m'en donner une, je la prends ! je me risque !*

CHEVILLARD, naturellement : *Tiens, moi aussi !... Qu'il est bête !* (IV, 10.)

Le « risque », dès 1848, Labiche envisage de le courir : il aspire à la propriété foncière, harmonieuse combinaison de l'enrichissement et du retour à la nature : « *Nous achèterons quelque chose* », écrit-il à Alphonse Leveaux le 23 juillet 1848, « *dans un* pays tranquille et nous vivrons comme de bons paysans. Nous planterons des bois, nous ferons des foins, du beurre et du fromage. Pour cela il faut chercher loin de Paris. Dans un rayon de vingt lieues le pays est brûlé, la civilisation vous poursuit. Et puis je veux beaucoup de terrain pour que l'ennui ne vienne pas me traquer entre quatre murs. »

Mais pour retrouver agréablement cette pureté des premiers âges, il faut de l'argent, il faut produire. Et, du Vaudeville aux Variétés, du Gymnase au Palais-Royal, Labiche honore et provoque les commandes. C'est le Palais-Royal qui a ses préférences, et il y est toujours accueilli chaudement par un public que ne choque pas la liberté de plus en plus grande des pièces — généralement en un acte — créées coup sur coup et charriant dans un indescriptible désordre les thèmes qui, à travers les vicissitudes d'une révolution sociale en forme d'apocalypse, continuent de s'entrecroiser jusqu'à tresser le fameux chapeau de paille.

L'année 1851, qui allait inaugurer vingt ans de louis-napoléonisme, est pour Labiche, comme pour le prince-président, celle du triomphe. Dormeuil, directeur du Palais-Royal, décida pourtant sans enthousiasme la création — au mois d'août — d'*Un chapeau de paille d'Italie,* qui lui semblait totalement stupide. Les comédiens travaillent de mauvaise grâce, Labiche s'absente le plus possible au cours des répétitions, et le *Chapeau* triomphe ; il tiendra l'affiche trois mois sans interruption, ce qui, pour l'époque, est un coup de force.

Il fallait un autre coup de force pour rassurer Labiche et ses spectateurs sur l'avenir de leurs biens. Au lendemain du 2 décembre, Labiche se réjouit, mais s'inquiète encore du plébiscite. Il écrit à Alphonse Leveaux le 7 décembre 1851 : « *Comme toi, je bats des mains à l'acte énergique du président. La légalité nous tuait : il a tué la légalité. Voilà malheureuse-*

ment ce que tout le monde ne veut pas reconnaître.
Paris est stupéfait. Paris hésite à se prononcer, mais
j'espère comme toi que le bon sens rentrera dans les
cervelles de nos bourgeois, et qu'ils donneront par
leurs votes un billet d'éternité au gouvernement, ils
sont placés entre le président et la rouge. C'est une
excellente situation. »

« Nos bourgeois », plus clairvoyants que ne le
croit Labiche, donnent à l'empereur un « billet
d'éternité » et n'en sont que plus enclins à accueillir,
au théâtre, les facéties les plus osées, jamais assez
pour mettre en péril une satisfaisante répartition des
biens. Si Labiche ne renouvelle pas profondément sa
manière, et exploite indéfiniment la veine qui a fait sa
réussite, on peut cependant noter une désinvolture
de plus en plus grande vis-à-vis de la « vraisemblance ». La dévoration d'un chapeau par un cheval
peut, à la rigueur, être le point de départ d'une
aventure ; la situation imaginée pour *Maman Sabou-*
leux fait fi de tout bon sens. Comment justifier la
présence, chez un paysan veuf, d'une petite fille de
huit ans que ses parents auraient mise « en nourrice »,
et d'un garçonnet oublié par hasard dans le train ? Ou
la conduite d'un homme qui, tel Nestor de Bois-Rosée
dans *Le Chevalier des dames,* provoque pour les femmes des situations catastrophiques, s'érige en sauveur,
et disparaît sans rien exiger ? Les exemples se multiplient de quiproquos et de malentendus où les événements ne sont pas plus plausibles que la psychologie.
L'ordre social une fois consolidé, toutes les libertés
sont permises à celui que n'inquiète plus la réalité.

Mais, parallèlement, se développe l'ambition de
créer des « caractères » et de viser à la « comédie »
plus qu'au vaudeville. La création triomphale, en
1852, de *La Dame aux camélias,* marque une évolution dans le goût du public pour un théâtre « sérieux » à prétentions quasi balzaciennes. Alexandre
Dumas fils n'écrit-il pas : « *Il nous faut peindre à*

16

larges traits non plus l'homme individuel mais l'homme humanité, *le retremper dans ses sources, lui indiquer ses voies, lui découvrir ses finalités, autrement dit, nous faire plus que moralistes, nous faire législateurs* [1] ? » Théâtre moralisant d'une part, théâtre satirique d'autre part avec *Grandeur et décadence de M. Joseph Prudhomme* d'Henri Monnier et Gustave Vaez (1852), vont se mettre en devoir de peindre « l'humanité », que ce soit pour ridiculiser le traditionnel bourgeois, cible des romantiques attardés, ou pour lui apprendre à mieux vivre. Labiche entrevoit, dans l'apparition de modes nouvelles, une diminution possible de son succès commercial : « *Il est plus difficile* », écrit-il le 18 octobre 1852 à Alphonse Leveaux, « *de faire jouer une pièce que de la faire. La concurrence est grande et le métier devient dur.* » Non moins préoccupant pour lui est peut-être le souci de troquer son statut d'amuseur contre celui d'écrivain. On lui prête quelques boutades où éclate son ambivalence à l'égard de la littérature dite sérieuse. Invité chez une mondaine qui lui fait signe, au cours du repas, de ne pas couper la parole à Renan, il se borne à déclarer, quand vient son tour d'intervenir : « *Je voulais... demander des petits pois.* » Son détachement hargneux et nostalgique à l'égard de la « culture » s'exprime à maintes reprises dans ses pièces, et, une fois dépassé le succès du *Chapeau*, il tend à se détourner du trop facile Palais-Royal, et à mettre en question la modestie dont il faisait preuve lorsqu'en 1843 il écrivait à Alphonse Leveaux : « *Je voudrais entreprendre une comédie mais j'ai la conscience certaine et triste de ma faiblesse. Je ne suis pas taillé assez grandement.* »

La Chasse aux corbeaux (1853), comédie-vaudeville, se veut satirique et moralisatrice. Mais les fréquentes irruptions de l'insolite dans le quotidien,

---

1. Préface au *Fils naturel.*

17

si heureusement maniées par Labiche, aboutissent, le milieu choisi étant celui de la haute finance, à un réalisme dont les uns déploreront l'extravagance, les autres la brutalité. On peut bien montrer la vie privée des financiers, au temps où la spéculation triomphe, mais pas leur activité « professionnelle », si saugrenue qu'on la fasse. *La Chasse aux corbeaux* fut, au dire de Labiche, « *un succès grave, c'est-à-dire presque un four* ».

Après l'échec de sa « fable » sérieuse, il acquiert une propriété à Souvigny, en Sologne, et commence à y passer une bonne partie de l'année, veillant lui-même à l'exploitation et à l'accroissement de ses terres. Sa production théâtrale se ralentit, il part avec sa belle-famille faire un voyage en Sicile et en Italie, se plaint sans cesse des servitudes de son métier. A propos de *Espagnolas et boyardinos,* bouffonnerie commandée par le Palais-Royal pour utiliser une troupe de danseurs espagnols, il écrit le 24 juin 1854 : « *J'ai fait jouer avec [Marc] Michel une roustissure pour les danseurs espagnols, c'est mauvais, mais cela fait rire, et de plus cela fait de l'argent... donc c'est bon !* » Le Palais-Royal devient sa tête de turc, le Théâtre-Français un inaccessible paradis : « *Ce théâtre du Palais-Royal m'aura fait bien du mal, il aura confisqué au profit de la farce les quelques éléments de comédie que je puis avoir dans la cervelle... J'ai toujours l'espoir et le désir de faire une pièce pour le Théâtre-Français. Qu'il me vienne un bon sujet, je m'y livrerai tout entier* » (14 mai 1854).

Reniement des petits théâtres, retour à la vie familiale, aspiration aux grands genres, coïncident avec l'approche de la paternité (le fils de Labiche naît le 13 mars 1856), et l'achat, à Paris, d'immeubles de rapport. A la même époque, Labiche se révèle particulièrement pointilleux quant à la répartition des droits d'auteur produits par ses pièces. Droits qui continuent d'affluer car, après un léger relâchement,

18

Labiche fournit à nouveau le Palais-Royal en farces, le Gymnase en comédies, se permettant au Palais-Royal d'autant plus d'audaces qu'il a acquis plus de maîtrise dans le maniement de ce qu'on eût appelé vers 1950 l' « absurde », et qui est bien plutôt la plus profonde et inexorable logique (*L'Affaire de la rue de Lourcine* montre avec rigueur la suite de péchés mortels auxquels Lenglumé eût put être entraîné à la suite d'une innocente beuverie). Pour le Gymnase, en revanche, ou les Variétés, il continue de s'exercer à la peinture de mœurs et au portrait du « bourgeois ». *Le Baron de Fourchevif* (au Gymnase en 1859), *L'Ecole des Arthur* (aux Variétés en 1859), *Le Rouge-gorge* (au Vaudeville la même année) et surtout *Les Petites mains,* fortement influencé par *Le Gendre de Monsieur Poirier,* d'Emile Augier, aboutiront en 1860 au *Voyage de Monsieur Perrichon,* dont la création au Gymnase est aussi triomphale que celle d'*Un chapeau de paille.* Avec *Monsieur Perrichon,* Labiche accède à la dignité d'auteur dramatique connaisseur de l' « homme *humanité* », et séduit d'autant plus la bourgeoisie qu'il lui offre l'anodine et déjà éculée caricature du bourgeois. Le 27 octobre 1880, il écrira à l'un de ses collaborateurs, Léopold Lacour : « *Je me suis adonné presque exclusivement à l'étude du bourgeois, du « philistin » ; cet animal offre des ressources sans nombre à qui sait le voir, il est inépuisable.* » Effectivement, à partir de 1860, il y aura deux Labiche, l'un rejoignant l'autre parfois comme dans *Célimare le bien-aimé,* où les traditionnels comiques « de caractère » et « de situation » font provisoirement bon ménage. Au Palais-Royal continuera de régner une liberté d'invention qui choquera — tel *Le Grain de café* où un bureau de placement pour nourrices est montré littéralement comme un bordel — un public pourtant débonnaire ; ailleurs se raffineront les portraits traditionnels de parvenus

(*La Poudre aux yeux*), de parents cupides (*Le Point de mire,* créé en 1864, à Compiègne, devant la cour impériale), de militaires intègres et méconnus (*Les Vivacités du capitaine Tic*) ; et c'est, en 1864, l' « égoïste » qui tentera de s'imposer au Théâtre-Français avec *Moi.* Malgré toute l'application, un peu trop visible, que met Labiche à satisfaire les exigences du public lettré, la pièce ne connaît qu'un succès d'estime, en dépit ou à cause d'une authentique cocasserie de situations.

Auteur désormais consacré que ne mettent pas en péril quelques provisoires insuccès (Francisque Sarcey ne lui ménage pas les éloges) Labiche pourtant s'inquiète car, s'il progresse dans les théâtres nobles, il risque d'être débordé du côté de la bouffonnerie. Offenbach, poussant à l'extrême dans ses opérettes les extravagances de la folie-vaudeville, tient interminablement l'affiche. Et la carrière de *La Vie parisienne* retarde en 1867 la reprise de *La Poudre aux yeux* au Palais-Royal. Cette année-là, la correspondance de Labiche est fréquemment consacrée aux recettes mirifiques de *La Vie parisienne* et aux variations qu'elles connaissent. Le 18 mai, c'est une lettre cocassement désespérée qu'il adresse à Alphonse Leveaux : « *Les pluies ont fait remonter les recettes de* La Vie parisienne, *ajoute à cela l'annonce, sur l'affiche, des dernières représentations, et tu comprendras cette recrudescence. Enfin, on fait 3 400 à 3 500. Mais voici le soleil et les recettes ne tarderont pas à redescendre. Mais le baromètre baisse de nouveau et alors les recettes remonteront. Ça peut durer comme cela jusqu'à la fin du monde.* »

Tout en affectant de mépriser l'opérette, Labiche s'essaie au théâtre lyrique et c'est, à l'Opéra Comique, *Le Voyage en Chine, Le Fils du brigadier, Le Corricolo.* Œuvres médiocres à vrai dire, et fraîchement accueillies.

Cette période de réussite et d'incertitude ne durera

pas plus que *La Vie parisienne* « jusqu'à la fin du monde », car, avec la guerre franco-prussienne, s'interrompt brutalement l'euphorie du régime pourrissant. Labiche s'installe à Souvigny, dont il a été élu maire, et certains de ses biographes lui prêtent une attitude frisant l'héroïsme face à l'occupant. Pourquoi mettre en doute son patriotisme ? Une chose, en tout cas, apparaît sans détour dans sa correspondance : la haine sans merci qu'il voue — et il n'est pas le seul — à la Commune de Paris : « *Je suis navré, je suis honteux et j'ai le cœur plein de vengeance... J'espère que cette cruelle expérience aura pour résultat de guérir la France à tout jamais de sa tendresse stupide pour le prolétariat.* » (Lettre datée du 20 mai 1871, peu de jours avant que M. Thiers et ses collaborateurs aient rétabli l'ordre en massacrant trente mille de ces prolétaires trop aimés.)

Bien vite « Paris se repeuple » et rouvrent les théâtres, mais la quiétude du bon vieux temps ne revient pas, et la Troisième République, si conservatrice soit-elle, sera désormais, aux yeux de Labiche, la porte ouverte à l'insécurité. Le suffrage universel l'indigne. Il écrira, en 1873, s'inquiétant du résultat des élections partielles : « *Si l'on ne met pas résolument un cens pour écarter toute la fripouille du scrutin, nous continuerons à marcher vers les abîmes.* »

Dès juillet 71, le Palais-Royal affiche *Le Livre bleu,* et, trois mois plus tard, le Vaudeville crée *L'Ennemie,* deux pièces écrites avant la tourmente, et où Labiche, prenant le contrepied d'Offenbach, fustigeait les femmes légères et glorifiait les épouses vertueuses. En fait, Offenbach n'est déjà plus le rival à détrôner, l'après-guerre est pour lui la période du déclin. Comme après toute défaite, les désinvoltures antimilitaristes sont désormais mal vues, auxquelles on attribue peu ou prou les déboires de l'armée impériale. Meilhac et Halévy, collaborateurs habituels d'Offenbach, réservent désormais leurs livrets à Lecocq, dont les comédies musicales patriotiques, telle *La Fille de Madame Angot*, triomphent maintenant. *Les Samedis de Madame* échouent au Palais-Royal en 1874, et Labiche, qui comptait sur la pièce, explique son insuccès par la vogue de l'opérette, dont les visées édifiantes lui importent moins que la réussite financière : « ... *Je le constate avec tristesse, le vent du succès n'est plus à la comédie, l'opérette emporte tout. La presse n'a d'éloges et de miel que pour ce genre inférieur qui est la décadence de l'art dramatique. Encore une suprématie que notre pauvre France va perdre* [...]. *Quant à moi, je ne compte pas m'entêter et ma résolution bien ferme est de* liquider [...]. *Il n'y a qu'une chose qui pourrait me faire sortir de mon trou, ce serait de faire une pièce avec Augier pour le Théâtre-Français* » (30 novembre 1874).

Avant de tenter cette entreprise respectable, il s'efforce de retrouver le succès en utilisant, paradoxalement, quelques recettes d'Offenbach. C'est même une opérette qu'il envisage de composer sur une musique de celui-ci, et, si le projet n'a pas de suite, *Les Trente millions de Gladiator*, « comédie-vaudeville » créée aux Variétés en 1875, évoque indiscutablement *La Vie parisienne*. Labiche y déploie une telle virtuosité que le public, une fois encore, lui fait fête. Moins heureuse sera sa collaboration avec Emile Augier, l'année suivante, pour *Le Prix Martin*, joué non au Théâtre-Français mais au Palais-Royal. Flaubert, le lendemain de la générale, écrit à George Sand, le 6 février 1876 : « *Quant au public, son goût m'épate de plus en plus. Hier, par exemple, j'ai assisté à la première du* Prix Martin, *une bouffonnerie que je trouve, moi, pleine d'esprit. Pas un des mots de la pièce n'a fait rire, et le dénouement, qui semble hors ligne, a passé inaperçu.* » En effet *Le Prix Martin*, si mal accueilli qu'il ait pu être, reste bien une des œuvres marquantes de Labiche, dont le génie propre apparaît bien plus que l'inspiration de son collaborateur.

C'est Ernest Legouvé qui lui donnera enfin l'occasion d'une rentrée au Français avec *La Cigale chez les fourmis* (1876). Mais cette fois l' « esprit » de Legouvé a étouffé celui de Labiche, et cette insipide bluette est un échec de plus.

Une tentative encore au Palais-Royal avec *La Clé*, trop agressive sans doute, fût-ce implicitement, pour divertir les habitués de ce théâtre. Cette fois, Labiche se retire pour de bon. Au même journaliste à qui il vantait la simplicité de ses débuts, il déclare : « *Au reste, j'ai toujours pensé qu'il y avait quelque chose de plus difficile à faire jouer que la première pièce... C'est la* dernière. *Songez au vieil auteur démonétisé et vous trouverez peut-être le sujet d'une seconde étude plus poignante que celle dont vous vous occupez* » (texte déjà cité page 7).

« Démonétisé » ou non, l'auteur d'*Un chapeau de paille d'Italie* a néanmoins fait fortune, sa propriété de Souvigny s'agrandit et les droits d'auteur rentrent régulièrement à l'occasion de mainte reprise. Il ne va d'ailleurs pas, malgré ses assertions, se retirer de la vie littéraire. Sur l'insistance d'Emile Augier il entreprend la publication de son « théâtre complet » (très incomplet en fait, puisqu'il en bannit cent dix-huit de ses cent soixante-quinze pièces, réservant les autres pour une prochaine « série »). Immense succès de librairie en 1878. La critique est enthousiaste. Francisque Sarcey profite d'une reprise, la même année, du *Voyage de Monsieur Perrichon*, pour consacrer « chef-d'œuvre » une pièce qui, lors de sa création, lui avait paru seulement bonne : « *Le voyage de Monsieur Perrichon est en train de passer chef-d'œuvre, et [...] dès lors nous cristallisons, nous aussi, comme tout le monde, pour son auteur et pour lui.* »

Pour que soit complète la consécration il faut que Labiche, affectant toujours de ne pas se considérer comme un écrivain, accepte de poser sa candidature à l'Académie Française. Il est élu, malgré la vertueuse indignation de Brunetière (« *On ne fait pas asseoir une raison sociale dans un fauteuil académique* »), en 1880.

En dépit des quelques impertinences qu'on lui prête vis-à-vis de sa nouvelle dignité (« *Je ne savais pas qu'on était nourri* », aurait-il dit devant l'avalanche d'invitations que lui valait l'élection), il prépare sagement son discours, qui se trouve être l'éloge du pieux Monsieur de Sacy.

Il ne renonce pas cependant à sa retraite campagnarde, et accorde ostensiblement la primauté à l'entretien de ses terres sur les activités parisiennes, même académiques : « *Je resterai assez tard en Sologne, il faut que je recommence mes bois gelés pour les petits-enfants d'André, mais j'ai bien du mal à réussir. Je plante des glands, les sangliers me les mangent, je pique des bouleaux et des pins sylvestres et les lapins me les coupent. Que faire ? Tuer les sangliers et « gibelotter » les lapins, mais ce moyen de théâtre n'est pas facile à mettre en scène* » (26 août 1882).

Et, définitivement paysan, les vicissitudes du climat lui deviennent preuves de la volonté divine, seule capable de contrecarrer la sienne : « *Je suis en Sologne fort occupé à faire sécher mes foins que le Bon Dieu (j'y crois quand même) prend plaisir à arroser tous les deux jours.* »

Ce Dieu maître des saisons a pouvoir, aussi, de vie et de mort, et la mort n'est pas loin de l'Académie : « *A l'Académie les morts vont vite. Voici Littré parti, mais il s'est fait baptiser avant son départ. Il était un peu en retard et si l'eau datait de sa naissance elle ne devait pas être de la première fraîcheur. On l'enterre demain religieusement. On* est athée quand on se porte bien, mais vienne la maladie : on s'empresse de tendre le bec au Bon Dieu. Il vaut mieux commencer tout de suite par là » (3 juin 1881).

Labiche vécut quelques années encore, mariant son fils à la fille d'un député du Calvados, se consacrant à ses petits-enfants dont la mère est morte prématurément, se préoccupant, malgré les progrès de la maladie qui l'emportera, des reprises de *La Grammaire* ou de *La Station Champbaudet*. Pieusement décédé en 1888, Labiche aurait cependant, au dernier moment, fait preuve d'une certaine mauvaise humeur. A son fils qui le chargeait de messages affectueux pour sa mère lors de leurs retrouvailles célestes il répondit, raconte-t-on : « *Dis donc, tu ne pourrais pas faire tes commissions toi-même ?* »

Le dernier texte qu'il ait écrit est celui d'un discours prononcé le 27 janvier 1881 au banquet annuel de l'Association des anciens élèves du lycée Condorcet. Discours qui se termine par une proclamation joyeusement patriotique :

« *Ce qu'il vous faut promener dans le monde, c'est notre gaieté, cette gaieté qui est de vieille race française, et qu'aucun peuple ne possède. Entretenez avec amour ce feu national. Riez ! amusez-vous le plus que vous... Mais je crois que mon fils est ici... amusez-vous sagement ! prenez pour devise : Honnêtement et gaiement, et buvons ensemble à la gaieté traditionnelle de notre collège.*

« *A la gaieté des honnêtes gens !* »

Gaieté inaltérable, en effet, que celle d'un homme qui commence son testament par « *Voici mes premières volontés* ». Gaieté, mais peut-être aussi désir de surprendre et d'éveiller d'équivoques curiosités...

II

EMILE BECHE

Ce qui frappe, dans cette biographie si peu « intéressante », est moins la minceur des événements — presque tous subis plutôt que vécus — que le ton détaché sur lequel Labiche, dans sa correspondance, les mentionne. Sa fureur antidémocratique — à plus forte raison anticommunarde — ne le distingue guère des autres bourgeois, furieusement immobilistes, dont Louis-Philippe et Louis-Napoléon assurèrent le règne. L'inquiétude qu'il manifeste devant la vogue de l'opérette ou les inconséquences du Palais-Royal équivaut à peu près à celle du commerçant qu'angoissent les caprices de la mode. L'amour filial, conjugal, paternel, se coule tout naturellement dans le moule des formules traditionnelles, pas plus personnalisées que le « veuillez agréer... » dont usent parfois, au comble de l'affolement, les personnages de ses pièces. Ami apparemment fidèle, raisonnablement serviable et accueillant, il donne et demande des nouvelles sans que perce jamais ni désir d'épanchements ni invite aux confidences. Très clairsemés sont les bons mots, et toujours dépourvus de la formidable force comique dont il fait preuve à la scène.

Le décalage est si grand entre l'émotivité quasi nulle d'Eugène Labiche tel qu'il se montre, et la frénésie permanente de ses personnages, qu'on en vient vite à soupçonner quelque mystère, à tout le moins quelque faille qu'il s'agirait de combler. Entreprise périlleuse, car le risque est grand, pour le fouineur en mal de reconstitutions, de fabriquer purement et simplement un Labiche à sa propre image. Ainsi le rentier Lafurette, dans *Le Mystère de la rue Rousselet* [1], s'obstinant à élucider l'étrange comportement de ses voisins et leurs crimes hypothétiques, ne découvre qu'un banal adultère, mais de cet adultère il est lui-même la victime.

Aussi bien ne s'agit-il pas, en interrogeant *La Clef des champs,* de percer des secrets et d'ouvrir des portes insoupçonnées. Les éléments autobiographiques n'y apparaissent guère au niveau de l'anecdote ; et si, partant de l'évidente identification entre Eugène Labiche et son héros Emile Bèche, on découvre chez l'un et l'autre voyeurisme rageur et désirs incestueux, instincts sadiques et auto-destructeurs, la genèse d'*Un chapeau de paille d'Italie* ne s'en trouvera pas éclairée.

Retenons cependant le fait que non seulement Labiche se hâta de renier *La Clef des champs,* mais que ce premier roman — en tête du volume, étaient annoncés les suivants, *Si jeunesse savait, Le Curé de Pomponne, Aventures d'Alcibiade, premier cabotin de France,* dont on n'a jamais connu que les titres — fut aussi le dernier. Labiche, rejetant *La Clef des champs,* en entérinait l'échec, et du même coup renonçait à toute ambition de romancier. On peut s'étonner d'un si rapide revirement, mais il dénote sans doute une étrange clairvoyance. Car les défauts de *La Clef des champs* sont moins imputables à la jeunesse de l'auteur qu'à une caractéristique profonde de sa créativité : il ne peut pas « raconter ». Ce récit d'une « éducation sentimentale » est une succession de scènes, non un déroulement élaboré. Cette « étude de mœurs » est une caricature morcelée, morcelante et souvent contradictoire, non une critique.

Emile Bèche, à dix-huit ans, étouffe dans les jupons de sa mère, veuve aux tendresses irrespirables qui n'a

---

1. « Comédie en un acte mêlée de couplets », par Eugène Labiche et Marc-Michel, représentée pour la première fois au Théâtre du Vaudeville le 6 mai 1861. On trouvera, à la fin de cet ouvrage, la liste des pièces de Labiche, avec le lieu et la date de leur création.

pas vu grandir son nourrisson et ne lui prête même pas une existence autonome. Sourde aux conseils du docteur Millin, tuteur d'Emile et « libre penseur », elle charge l'abbé Plaisant, glouton stupide, de dispenser au jeune homme une éducation qui se borne au ressassement de l'*Epitome* et à la récitation des verbes déponents. Le jeudi soir l'abbé Plaisant, en compagnie de deux vieilles créatures à la féminité problématique, vient dîner et faire une partie de loto. Emile ne joue pas, il regarde à peine, réservant le peu d'attention dont il est capable à la cuisinière Joséphine ; mais celle-ci, préoccupée surtout de chaparder quelques morceaux de sucre et d'épouser un valet du voisinage, ne s'attarde pas à séduire un jeune maître aussi morose.

Emile, à qui la mise en scène familiale n'a ménagé aucun rôle, s'absorbe dans la contemplation de la rue où rien ni personne ne l'appelle. Et, contrairement à Lafurette, il renonce d'emblée à comprendre les agissements dont il est témoin :

« *La fenêtre était le seul point par où cette existence cloîtrée pût communiquer avec le dehors, le seul jour ouvert au blocus de cette intelligence. Aussi Emile passait-il de longues heures, debout à cette fenêtre, voyant remuer à ses pieds toute cette foule agitée, sans comprendre le but de ses agitations.*

« [...] *En voilà deux qui s'abordent, ils se parlent, ils se parlent encore ; que peuvent-ils se dire ? Assurément moi, si je rencontrais quelqu'un, je ne trouverais rien à lui dire, d'ailleurs, je ne connais personne. Ils se parlent toujours. Ils rient. Il y a donc quelque chose de joyeux dans cette vie en dehors de la mienne* » (chap. III).

Un jour pourtant, la fenêtre d'en face, depuis longtemps fermée, s'ouvre et laisse paraître une jolie jeune fille. Emile entreprend alors une opération de séduction à distance dont il n'envisage même pas le but concret. Du reste, à peine a-t-il modifié sa coiffure et son vêtement et trouvé quelques attitudes, que la fenêtre se referme, et c'est à nouveau le désœuvrement, vécu par lui comme un désespoir, mais décrit par Labiche comme une crise de rage et un dégoût de soi :

« *Ce fut un passe-temps de moins dans sa vie déjà si inoccupée. Sa fatuité n'était malheureusement que factice ; réelle, elle l'eût sauvé. Un fat pur-sang ne se tue jamais, il est toujours avec ce qu'il aime, toujours occupé de lui, il se comble d'égards, s'adresse des louanges intarissables, se fait perpétuellement la cour [...]. Emile ne possédait pas cet amour de soi-même* » (chap. X).

Il est « aimé », pourtant, peut-être désiré par une des visiteuses du jeudi, quinquagénaire édentée qui le fait témoin d'une scène d'amour entre elle et son perroquet — la seule scène « érotique » que comporte l'œuvre de Labiche :

« *Elle prit Edmond sur son poing, elle trouvait ce nom bien porté et l'avait donné à son perroquet. Elle l'agaça des lèvres pour le faire parler — Edmond considéra d'abord les agaceries de la vieille fille d'un air excessivement dédaigneux qui semblait lui dire : tu n'es pas belle. Puis se résignant, comme pour avoir la paix, il becqueta à même le néant de cette bouche qui lui faisait de si suppliantes avances. Il n'y a que les perroquets et les cure-dents pour avoir de ces dévouements* » (chap. V).

Ni perroquet ni cure-dents, Emile ne perçoit pas l'invite à imiter Edmond. Et le soir, assis devant sa mère, les bras tendus et emprisonnés par l'écheveau que, sans lui, elle ne pourrait dévider, il projette une évasion. Une seule lui paraît réalisable — et les conversations du petit cercle sur un suicide survenu aux environs l'aident à préciser son projet : il mettra fin à sa propre vie, proclamant son émancipation en même temps que sa toute-puissance :

« *Il se mit à songer pour la première fois que*

*l'homme avait à sa discrétion, en tout temps et en
tout lieu, le plein pouvoir de finir ses peines [...].
Cette omnipotence donnée à l'homme sur sa vie lui
semblait relever la créature... Le suicide est une arro-
gante conquête de la matière créée sur la puissance
créatrice »* (chap. VIII).

Enfermé dans sa chambre avec un réchaud à charbon il attend l'asphyxie lorsque Madame Bèche fait
irruption, pressée de lui annoncer la ruine où l'ont
conduite des placements trop prudents.

Et c'est alors que se dévoile, brutal, dans une
scène grotesquement tragique, le fantasme d'amour et
de mort que ni la mère ni le fils n'avaient jamais
soupçonné :

*« Il y eut un horrible intervalle, un de ces tableaux
à faire saigner la main du peintre ; d'un côté ce fils
implacablement lié sur son lit, trépignant, faisant
fureur contre son impuissance, attaché violemment
dans ce corps de pierre, mais envoyant tous ses vœux,
toute son âme au secours de sa mère ; et celle-ci,
terrassée, mais encore puissante d'amour, rampant à
deux genoux vers la fenêtre, se traînant, s'allongeant
comme un serpent blessé, cherchant de l'air pour lui ;
car tous deux, avant de mourir, demandaient quelque
chose à Dieu : lui, sa mère, elle, son fils ! »* (chap.
XII).

Dieu, n'ayant pas coutume d'exaucer de tels vœux,
se borne à laisser en vie les deux complices. Emile,
désormais sans fortune et dirigé par le réaliste docteur Millin, va peu à peu faire connaissance avec
la réalité, c'est-à-dire se mettre au travail, apprendre
la valeur de l'argent et l'inanité de l'amour. Il découvrira que la pure jeune fille de la fenêtre est une
grisette, Joséphine une couturière plus ou moins
entremetteuse et, portant gaillardement le deuil de
ses rêves passés, deviendra un prospère commerçant.

De toute évidence, Labiche, après le tableau du
suicide manqué, se désintéresse sinon de son héros,

du moins de son roman. Les épisodes se lient à peine. La trahison de la grisette, toutefois, lui donne l'occasion de mettre en scène pour la première fois le « flagrant délit » d'adultère et le duel pour rire, si souvent repris dans ses vaudevilles. Très vite les années ont passé, Emile a épousé la fille de son patron, devenant patron lui-même. Madame Bèche, renvoyée une fois pour toute à sa condition de cuisinière, tient le ménage du docteur Millin. L'abbé Plaisant est allé dîner ailleurs, on a perdu la trace de la séduisante grisette. Que dire encore d'Emile ? Il a vécu en une nuit toute son « histoire » et, n'était la crainte de la vieillesse, il subirait sans inquiétude ni nostalgie le monotone retour des saisons.

« *A mesure que la poésie s'en est allée de lui, il s'est attaché à la terre. La poésie est une rêveuse mécontente, qui se soulève incessamment contre la matière ; dans une société organisée, c'est la pire des choses à mettre en pratique, elle conduit directement au dégoût de ce qui est* » (chap. XX).

Labiche, lui, aura beau « s'attacher à la terre » et supprimer *La Clef des champs,* il devra ménager en lui la « rêveuse mécontente », et l'apprivoiser au point d'en faire une marchandise. Il y parviendra en la tenant à distance, distance que, dans *La Clef des champs,* il s'avère incapable de trouver. Trop lucide en effet pour s'aimer à travers Emile Bèche, trop immédiatement furieux contre ses bourreaux, il n'est jamais tout à fait ni témoin ni partie. Et, sentant sa position intenable vis-à-vis d'une histoire à laquelle il participe trop ou trop peu, il s'impatiente. Le dernier chapitre s'intitule « *XX et dernier chapitre, dont tout le mérite est d'être le dernier* ».

Il lui faudra désormais les réalisations « ici et maintenant » inlassablement répétées que seul permet le théâtre. Insoucieux de la vie réelle, il fera apparaître et disparaître — naître et mourir — à volonté des personnages dont chacun donnera de lui-même une image partielle et à chaque instant méconnaissable. Croyant sans doute avoir réglé ses comptes, ou « vidé son sac », avec *La Clef des champs*, il s'imagine libre d'agiter ses marionnettes, mais, d'association en coq-à-l'âne, de quiproquo en mystification, idées et représentations, périodiquement, sont attirées par les émois inconscients qui les ont suscitées, et Labiche, désemparé chaque fois que se rapproche sournoisement le fantôme d'Emile Bèche, trouve *in extremis* des masques de rechange qui enrichissent le scénario. Alors commence un nouveau périple, au terme duquel surgit une fois encore le vieux conflit et Labiche — ou Emile — est sur le point de se donner en spectacle. Lorsqu'enfin, las de concilier les contraires et de fuir de périlleuses retrouvailles, il ne verra d'autre issue que le pur et simple dédoublement — la sauvagerie de *La Clé* et le plat bon sens de *La Cigale chez les fourmis* — il rendra les armes au positif Emile Bèche vieilli et, faisant bon ménage avec lui comme Bouvard avec Pécuchet, revenu des villes et des femmes, et plongé dans l'harmonie répétitive de la mère nature, il troquera la plume à tout jamais contre l'inoffensive épée d'académicien.

III

DE L'HOMME DE PAILLE
AU CHAPEAU DE PAILLE

Tout vaudeville s'articule, on le sait, autour d'une rencontre explosive, indispensable et redoutée. Labiche, vivant intensément la profonde ambivalence qui sous-tend cette « rencontre » — rencontre d'un autre lui-même —, trouve d'instinct les multiples façons de la figurer, de l'annoncer, de la désamorcer aussi quand son approche se fait angoissante. Ce qui, pour la plupart des vaudevillistes, relève de l'habileté plus ou moins grande à manier des procédés trop visibles, est chez lui le fonctionnement tout naturel, difficile seulement à toujours maîtriser, de la pensée et du rêve. Dès lors la composition de la pièce, dont la matière s'impose comme une nécessité, ne sera plus que le travail artisanal qu'il décrit benoîtement : « *J'entends par plan la succession développée, scène par scène, de toute la pièce, depuis son commencement jusqu'à la fin.* » Mais, ajoute-t-il, « *tant qu'on n'a pas la fin de la pièce, on n'en a ni le commencement ni le milieu* [1]. »

De *L'Article 960,* premier vaudeville où apparaisse clairement l'instinctif savoir-faire de Labiche, la fin se lit en filigrane dès la première scène. La fin, c'est-à-dire le but : la vengeance de Verdier. Celui-ci, dont le père a permis à son ami Chaubert de faire fortune avant d'être ruiné lui-même, se voit spolié par Chaubert, non seulement riche mais marié à une jolie

---

1. Cité par A. Carel, *Histoire anecdotique des contemporains*, Editions Valier-Marescq, Paris 1885.

femme qu'il eût, sans argent, été incapable de conquérir, et qu'il n'a pas su rendre mère. Tentant d'abord de favoriser l'idylle qui se noue entre Madame Chaubert et son séduisant cousin, Verdier se contenterait d'une revanche par personne interposée. Mais il rencontre chez les Chaubert un *alter ego,* un déshérité hargneux dont la fonction de domestique illustre plus clairement l'infortune : Laurent, ruiné par la venue au monde d'un enfant intempestif. Jadis bénéficiaire d'une « donation entre vifs » grâce à un oncle resté sans enfants, Laurent a mené une existence oisive et confortable. Mais un enfant est né malencontreusement au foyer de l'oncle, dépossédant le neveu. Car l'article 960 du Code civil stipule que « *toutes donations entre vifs faites par personnes qui n'avaient point d'enfants ou descendants actuellement vivants dans le temps de la donation demeureront révoquées de plein droit par la survenance d'un enfant légitime du donateur* » (scène 10)... Verdier apprend, de la bouche de Laurent, le contenu de l'article 960, au moment même où Chaubert, plus ou moins saisi de remords, vient de lui faire don d'une maison. Il entrevoit aussitôt la catastrophe que serait pour lui la naissance d'un enfant au foyer des Chaubert, et, la fécondité de Chaubert étant exclue, c'est l'éventuel amant de Madame Chaubert qu'il faudra chasser. L'entreprise est aisée, mais désormais une vigilance quotidienne s'impose, et Chaubert délègue à Laurent la mission d'empêcher que se commette le péché. Laurent accepte d'autant plus volontiers sa fonction policière que Verdier lui fait don d'une somme importante, hypothéquée sur la maison donnée par Chaubert. Ayant ainsi occupé utilement la partie frustrée et vengeresse de lui-même, Verdier pourra mener une vie sans entraves, tandis que Chaubert, manœuvré par Laurent, prendra aux yeux de son épouse les traits d'un insupportable geôlier.

34

Labiche utilisera bien souvent par la suite, et de façon plus fruste, le thème de *L'homme de paille*. C'est d'ailleurs le titre d'une comédie-vaudeville qui suit de près *L'Article 960*. Chamvillers pourtant, moins heureux que Verdier, devra céder la place — c'est-à-dire la main de la jeune veuve convoitée — à Cambiac, personnage qu'il avait inventé de toutes pièces et à qui il faisait endosser toutes les incartades propres à irriter sa fiancée. Cambiac, en effet, existe bel et bien et, avec son apparition, éclate l'imposture de Chamvillers. La stupeur de Chamvillers à la vue de Cambiac est de loin dépassée par le délire de l'avoué Jules Tourillon qui, dans *Deux gouttes d'eau,* croit calmer les soupçons de sa femme en prétendant avoir un sosie qu'on rencontre tantôt à Asnières, tantôt au bal Mabille. Une ruse de Madame Tourillon suffit, en un instant, à troubler l'imposteur, au point qu'il croit voir son sosie en l'homme que le hasard soudain lui oppose.

Non content de se dédoubler, Félicien, dans *Les Prétendus de Gimblette,* doit littéralement se « mettre en quatre » pour parvenir à ses fins. Gimblette est, pour son père l'aubergiste Lambrequin, une indispensable source de revenus depuis que, l'auberge étant par malchance située entre deux stations d'une ligne de chemin de fer toute neuve, la clientèle se fait rare, constituée seulement par les « prétendus » qui défilent. Avant de découvrir sa propre identité, Félicien apparaîtra successivement en Anglais taciturne, en ivrogne et en idiot de village. L'objectif de Félicien n'est d'ailleurs pas de séduire Gimblette — déjà consentante — mais de convaincre Lambrequin. Car c'est à l'assaut des pères, non de leurs filles trop aimées, que vont se lancer les « prétendus » labichiens.

Olympe, fille du *Major Cravachon,* grognard de l'Empire (la scène se passe en 1813), est menacée de célibat et, voyant éconduit son sixième soupirant, s'inquiète : « *Songez donc, mon petit papa, je me fais vieille... dix-neuf ans !... Et voilà le sixième que vous congédiez... Six ! qui en épousent d'autres ! si ce n'est pas affreux !... Il n'en restera plus !* » (scène 2). Il en reste un pourtant : Dervières, séduit et agréé par Olympe, et prêt à tout pour obtenir sa main. Mais le beau-père ne se laisse pas facilement convaincre.

DERVIÈRES : *... Orphelin fort jeune et seul héritier d'une famille...*

CRAVACHON, immobile : *La fortune ne fait pas le bonheur... passons.*

DERVIÈRES, avec étonnement : *Ah ! la fortune ne fait pas...* (se ravisant :) *Vous venez de dire là une bien grande vérité, monsieur, car enfin, qu'est-ce que la fortune ? Mon Dieu ! la fortune !... c'est un fait... une... comment dirai-je ?... Ah ! monsieur ! bien peu de pères comprennent cela ! tandis que... l'éducation, par exemple... certainement il ne m'appartient pas de vanter la mienne, mais...*

CRAVACHON : *L'éducation ne fait pas le bonheur... passons...*

DERVIÈRES, étonné : *Ah ! l'éduc...* (Se ravisant :) *J'allais le dire... l'éducation ! qu'est-ce que ça prouve ? qu'on a été bien élevé, pas autre chose... Ce qu'il faut pour faire le bonheur d'une femme, c'est une âme tendre, c'est un cœur brûlant, c'est un amour...*

CRAVACHON : *Oh ! l'amour !... l'amour ne fait pas le bonheur... passons* (scène 10).

Bien plus qu'à ce jeune homme riche, bien élevé et amoureux, Cravachon donnerait sa fille à Amélie, camarade de pension d'Olympe travestie en militaire, dont le langage belliqueux l'a instantanément convaincu et dont il ne soupçonne même pas le véritable sexe. Peu importent les goûts d'Olympe : « *Monsieur, voilà ma fille... c'est jeune, c'est timide, ne faites pas attention à elle...* (A Olympe :) *Voici l'époux que je t'ai choisi... il réunit toutes les qualités...* » (scène 14). C'est pourtant Dervières qui l'emportera : Cravachon reconnaît en lui le jeune homme qui, au cours d'un duel récent, lui a infligé une redoutable blessure : « *Je ne sais pas encore comment il m'a touché... Il faisait si noir... je donnerais dix napoléons pour connaître ce coup-là* » (scène 2). Et les fiançailles peuvent se conclure, étant entendu que l'initiation du beau-père au « coup » prestigieux précédera la nuit de noces : « *Dites donc, Dervières, si vous étiez bien gentil, vous me feriez répéter ce coup-là, hein ? Avant la nuit, nous avons bien le temps de faire un petit assaut* » (scène 17).

Les pères « civils », eux, n'ont pas de ces brutalités : Tourterot a seulement été initié par son fils César à l'argot et aux manières des carabins. Dans l'affrontement de *Deux papas très bien,* Tourterot est donc le représentant de cette « vie de garçon » que César a reniée pour s'établir médecin et briguer la main de Camille Poupardin. Comme Poupardin, aussi amateur de beau style que Tourterot de grossièretés, hésite à donner sa fille, César, inversant les rôles, excuse les défauts de son père et en prend sur lui la responsabilité : « *Monsieur Tourterot était, il y a deux ans à peine, l'homme le plus naïf dans ses habitudes, le plus classique dans son langage... son fils, au contraire, était un étudiant aux manières débraillées, aux allures sans-gêne... Un beau jour, l'un a déteint sur l'autre... Oui, monsieur, je dois l'avouer... mon père est aujourd'hui une sorte de miroir qui reflète, à ma honte, tout le décousu de ma vie passée. Pardonnez-moi, je suis le seul coupable* » (scène 12). Poupardin, plus irrité que séduit par tant d'honnêteté virile, se console mal de ne pouvoir donner Camille à l'inoffensif Gélinotte — qui s'avère heureusement être son fils naturel —, bien préférable selon lui à ce trop séduisant César.

Tel Gélinotte, Colardeau met en péril, par sa douceur quasi féminine, les entreprises d'*Un jeune
homme pressé*. Dardard, de Bordeaux, a remarqué au
théâtre une belle jeune fille accompagnée de son père,
le gantier Pontbichet. Il les a suivis en fiacre et, à
deux heures du matin, sort du lit Pontbichet pour
lui faire sa demande. Or Pontbichet avait promis
Cornélie à Colardeau, « *un bon jeune homme blond,
plein de respect, de déférence pour moi... Au moins,
lui, quand je parle, il m'écoute, et quand je ne parle
pas, il m'écoute encore* » (scène 2). Dardard au contraire ne cesse de parler, impatient de faire triompher
la fureur toute bordelaise de son amour : « *A Bordeaux, quand on aime, quand on distingue une jeune
fille au spectacle, on ne s'informe ni de son rang, ni
de son nom, ni de son sexe...* » (scène 1).
Pontbichet est d'abord intraitable :

PONTBICHET : *Vous désirez voir ma fille ?*
DARDARD : *Oui.*
PONTBICHET : *Eh bien, vous ne la verrez pas.*
DARDARD : *Très bien !*
PONTBICHET : *Vous demandez à l'épouser ?*
DARDARD : *Oui.*
PONTBICHET : *Eh bien, vous ne l'épouserez pas.*
DARDARD : *Très bien.*
PONTBICHET : *Maintenant, mon petit ami, je vais
vous mettre à la porte.*
DARDARD : *Non.*
PONTBICHET : *Savez-vous que je suis plus gros
que vous... et par conséquent plus...*
DARDARD : *Gras ?*
PONTBICHET : *Non, plus fort* (scène 1).

En fait, Dardard s'avère le plus fort en prouvant
son inépuisable habileté commerciale. Mais, une fois
Pontbichet subjugué, Dardard s'aperçoit qu'il y a
maldonne : un regard par le trou de la serrure lui

fait découvrir que Cornélie est très laide. Il la laisse à Colardeau, dont il prend en revanche la sœur...

Interchangeables, les jeunes filles, dans *Un jeune homme pressé,* sont également invisibles, l'affaire se règle entre hommes. Rares sont du reste les fiancées individualisées dans ce premier « cycle » de Labiche. Et lorsque, contrairement aux demoiselles Poupardin, Colardeau ou Pontbichet, elles prennent une existence autonome, c'est pour troubler l'idylle nouée entre père et fiancé. Berthe de Manicamp, qui doit peut-être son énergie à son origine aristocratique, contrecarrera un moment la volonté de son père qui bientôt acceptera de changer de gendre et, au lieu de *Embrassons-nous, Folleville,* s'écriera : « embrassons-nous, Chatenay ».

De même que Cravachon revendique pour lui le corps-à-corps avec Dervières, les beaux-pères pacifiques semblent plus impatients que leurs filles d'embrasser le fiancé. Ainsi Doublemard, d'*Une chaîne anglaise,* réserve « l'étrenne de sa barbe » à son gendre Charençon (et aussi, il est vrai, à la cuisinière Victorine). C'est d'ailleurs Doublemard, et non sa fille Louise, qui a rencontré Charençon dans des conditions quasi romanesques :

CHARENÇON : *Ah, ce jour-là... je ne dis pas... j'étais monté... je venais d'acheter un biscuit de Savoie orné d'une rose, pour la fête d'une vieille femme !... ça m'avait coûté trois shillings...*

DOUBLEMARD : *Trois shillings... combien ça fait-il ?*

CHARENÇON : *Je suivais donc la rue du Four, une petite rue sale et étroite...*

DOUBLEMARD : *Dans le Marais...*

CHARENÇON : *Non, dans le faubourg Saint-Germain... la rue du Four...*

DOUBLEMARD : *Dans le Marais.*

CHARENÇON : *Dans le Marais... selon les uns... dans le faubourg Saint-Germain, selon les autres...*

tout à coup j'aperçois devant moi un habit bleu qui se dandinait.

DOUBLEMARD : *C'était moi, je venais d'amont et vous descendiez d'aval.*

CHARENÇON : *Par politesse et dans l'intérêt de mon biscuit de Savoie... orné d'une rose... je vous cède le trottoir... comme ça.*

Il fait le mouvement.

DOUBLEMARD, l'imitant : *Malheureusement j'imite votre courtoisie... comme ça... et nous nous retrouvons...*

CHARENÇON : *Nez à nez... alors je reprends le trottoir... comme ça.*

Il fait le mouvement.

DOUBLEMARD, de même : *Moi aussi... comme ça.*

CHARENÇON : *Et nous nous retrouvons...*

DOUBLEMARD : *Renez à renez.*

CHARENÇON : *Fatigué de ce point de vue, je vous crie : Sacrebleu! Monsieur, passez!*

DOUBLEMARD, s'échauffant : *Passez vous-même!*

CHARENÇON, de même : *Je n'en ferai rien!*

DOUBLEMARD, de même : *Ni moi!*

CHARENÇON : *Ah! c'est ce que nous verrons!... et crac!... je me campe sur une borne.*

Il s'assied.

DOUBLEMARD : *Et crac! je me campe sur une autre!* (Il s'assied en face de Charençon.) *Et nous voilà...*

CHARENÇON : *Comme deux chiens de faïence.*

DOUBLEMARD : *C'est alors que je pris la parole en ces termes : Mon petit monsieur, je dois vous prévenir que je ne cède jamais. Je suis parfaitement rentier, et libre de tout mon temps...*

CHARENÇON : *Moi, monsieur, c'est différent... j'ai un rendez-vous avec mon notaire... dans six mois... mais d'ici là...*

DOUBLEMARD : *Eh bien! soit! nous coucherons dans la rue... je suis veuf...*

CHARENÇON : *Et moi garçon !... mais j'ai l'habitude de dîner à six heures très précises, et si vous le permettez... Et je mordis dans mon biscuit de Savoie... orné d'une rose.*

DOUBLEMARD : *Moi, je tirai de mon paletot une brioche toute chaude.*

CHARENÇON : *Nous dînions depuis un quart d'heure quand je me sentis atteint d'une soif !...*

DOUBLEMARD : *Et moi donc !*

CHARENÇON : *On ne sait pas assez ce que c'est que de manger sans boire un biscuit de Savoie sur une borne... orné d'une rose !*

DOUBLEMARD : *J'étouffais, mais je tenais bon...*

CHARENÇON : *Enfin je vous fis cette proposition... potable : Monsieur, accepteriez-vous une chope ?*

DOUBLEMARD : *Monsieur, je ne l'accepte qu'à titre de trêve... après nous reprendrons nos places.*

CHARENÇON : *C'est entendu.* (Tous deux se lèvent.) *Nous entrons dans un café et de chope en chope l'intimité s'établit ; j'apprends que vous êtes possesseur d'une fille de cent mille francs à marier... plus le trousseau...*

DOUBLEMARD : *Moi, que vous avez par an dix mille qualités, en immeubles ; je vous laisse payer...* (I, 3.)

Seuls les amoureux prennent plaisir à revivre ainsi, en se le remémorant, leur premier tête-à-tête. On conçoit que Doublemard, ivre de bière et de passion, ait oublié de signaler à Charençon que Louise, sa fille, outre les cent mille francs et le trousseau, possédait un mari. Le mariage, il est vrai, célébré en Angleterre sans le consentement paternel, a été déclaré nul par les tribunaux français. Comme d'autre part Doublemard a pris soin d'intercepter les lettres que le mari britannique, Edouard Melvil, adressait à son épouse, celle-ci s'est crue abandonnée et a accepté sans joie d'épouser Charençon, persuadée d'ailleurs

41

qu'il connaissait son union précédente. Louise, Charençon, Doublemard et la bonne Victorine partent en voyage de noces à Boulogne-sur-mer. C'est alors qu'arrive Melvil, retour de l'armée des Indes, et que s'engage une poursuite au terme de laquelle Louise, toujours « demoiselle », pourra, à Londres, reprendre la vie commune avec Melvil : le mariage en effet reste valable aux yeux des tribunaux anglais. Quant à Charençon, désormais encombrant, il devra retourner en France, où, déjà marié, il ne pourra que rester célibataire ou devenir bigame. Doublemard, lui, décide Victorine à le suivre en Ecosse dans le sillage du jeune couple : « *Mon gendre, je suis des vôtres !* » (III, 14), assure-t-il à Melvil qui ne dit mot...

Un beau-père encombrant, un homme en trop, une course à la nuit de noces... Reste à trouver le « chapeau de paille », objet symbolique dont la perte et la recherche éperdue motiveront l'action mieux qu'une série de coïncidences sans cesse à réinventer. C'est sans doute avec *La Femme qui perd ses jarretières* que s'affirme pour la première fois le rôle des objets créateurs de situations. Il s'agit d'abord de la transmission d'un vêtement : la livrée de domestique de Laverdure, ancien valet qui, devenu l'héritier de son maître, et par conséquent rentier, décide de s'habiller en bourgeois et d'engager comme domestique « *la plus grosse bête du Morvan* », Gaspard. Celui-ci, venant à Paris en diligence, a fait, tel Œdipe cheminant vers Thèbes, une énigmatique rencontre : celle d'une jeune femme qui, au cours d'un accident qui fut pour Gaspard l'occasion de quelques privautés, a perdu sa jarretière. Il s'avère bientôt que la femme à la jarretière n'est autre que la chemisière Fidéline, récemment apparue dans la vie de Laverdure :

« *C'était lundi dernier, passage Choiseul... j'y flâmais... en rentier. Tout à coup, deux yeux noirs m'arrêtent net devant un magasin... j'entre téméraire-*

ment. *Que demande Monsieur ? — Des jarretières,
dis-je à tout hasard. — Comment les voulez-vous ? —
Comme les vôtres !* Ce madrigal la fit sourire... elle
m'avoua qu'elle était orpheline... et je lui comman-
dai, incontinent, douze douzaines de paires de che-
mises... moyen adroit de l'attirer dans mon antre ! Elle
devait venir me prendre mesure hier. Je m'étais nanti
d'un bonnet coquet dont je comptais lui faire hommage » (scène 1).

Fidéline, à vrai dire, a déjà été sensible aux hom-
mages d'un jeune soldat, l'Emouché, muni non d'un
bonnet mais d'un « chapeau chinois », curieux instru-
ment de musique dont l'Emouché a coutume de
jouer sous les fenêtres des maisons où s'attarde sa
promise...

Gaspard, prenant soudain sa complice de voyage
pour Madame Laverdure, s'affole et veut quitter la
maison de son maître et bienfaiteur. Il découvre son
erreur, mais en même temps la légèreté de Fidéline,
et met tout en œuvre pour faire renoncer Laverdure
à une union déshonorante. Son zèle lui vaut une
empoignade avec l'Emouché (qu'il prend pour le
tuteur de Fidéline) et c'est armé du chapeau chinois
du soldat qu'il va affronter Laverdure, dans un combat
au cours duquel chacun croit l'autre devenu fou :

LAVERDURE, entrant gaiement, il a sur la tête un
bonnet de femme et tient deux pistolets :
Bonnet
Coquet,
Rubans
Charmants.
TOUS DEUX, s'apercevant : *Ah !...*
GASPARD : *Ce bonnet !*
LAVERDURE : *Ce chapeau !...*
GASPARD : *Ces pistolets !...*
LAVERDURE : *Cette figure blanche !.. ce fou
furieux !*

GASPARD : *Pauvre bourgeois !... il est fou.* (Il pose son chapeau chinois sur la chaise à droite.) *Arrêtez, malheureux !... je ne veux pas !*

Il lui arrache un des pistolets.

LAVERDURE, épouvanté : *Hein ?...*

Il saisit l'autre pistolet.

GASPARD : *Il prend l'autre ! lâchez ça !... père Laverdure !*

LAVERDURE : *N'approchez pas !... je suis chargé !...* (A part :) *Il n'y en a qu'un... C'est peut-être le sien.*

GASPARD : *Voyons... père Laverdure...*

LAVERDURE : *Ce n'est pas moi... c'est au-dessus... il est sorti...*

GASPARD, à part : *Le pauvre bonhomme... il se croit au-dessus... la mécanique est cassée !...*

LAVERDURE, à part : *Sapristi ! Que je suis fâché d'avoir pris ce domestique-là...*

GASPARD : *Si je pouvais le désarmer !*

LAVERDURE, à part : *Son pistolet m'inquiète...* (Haut :) *Gaspard !*

GASPARD, s'approchant : *Bourgeois ?*

LAVERDURE, d'une voix caressante : *Je suis bien content... oh ! mais bien content de te voir...*

GASPARD : *Je vous aime, moi, bourgeois !*

LAVERDURE : *Moi aussi, Gaspard.* (A part :) *Maintenons-le dans ces cordes.* (Haut :) *Mon ami, j'ai une course à te donner... chez mon banquier... le docteur Blanche...*

GASPARD : *Oui, bourgeois...*

LAVERDURE : *Si toutefois ça te fait plaisir.* (A part :) *Maintenons-le toujours...*

GASPARD : *Si ça vous fait plaisir, ça m'en fera aussi, bourgeois !...* (A part :) *Est-il fêlé !... est-il fêlé !... faut que je le désarme !*

LAVERDURE, à part : *C'est égal... son pistolet m'inquiète...* (A Gaspard, tout en suivant son pistolet des yeux :) *Tu diras au docteur Blanche... de dire à mon cousin... qu'il dise à sa tante...*

44

Il arrache tout à coup le pistolet des mains de Gaspard, mais au même moment, celui-ci s'est emparé du sien.

GASPARD et LAVERDURE : *Je le tiens !*

GASPARD, apercevant Laverdure armé : *Oh !*

LAVERDURE, de même : *Ah !*

GASPARD, à part : *C'est à recommencer.* (Il marche sur Laverdure.) *Bourgeois...*

LAVERDURE, effrayé : *N'approche pas !... je suis chargé !...* (A part :) *C'est peut-être le sien... j'ai eu tort de changer...*

GASPARD : *Mais je ne veux pas vous faire de mal, moi !... bon bourgeois !*

LAVERDURE : *Ni moi non plus... bon Gaspard !*

GASPARD : *Alors posez ça.*

LAVERDURE : *Non... pose d'abord.*

GASPARD : *Eh bien ! ensemble ?*

LAVERDURE : *Ça va !*

GASPARD : *Allons-y !*

Gaspard va poser son pistolet à droite, et Laverdure le sien à gauche.

LAVERDURE : *Tiens ! une carafe ! si je pouvais lui administrer une douche... ça serait toujours ça !*

GASPARD, trouvant aussi une carafe de son côté : *On dit que l'eau, ça leur fait du bien.*

LAVERDURE, s'avançant et cachant sa carafe : *Bon Gaspard !*

GASPARD, de même : *Bon bourgeois !*

Ils se serrent la main ; ils se versent réciproquement une carafe sur la tête.

TOUS DEUX : *Aïe ! crénom !*

GASPARD : *C'est pour votre bien !*

LAVERDURE, à part, se secouant : *Sacristi !... que je suis donc fâché d'avoir pris ce domestique-là !* (scène 18).

Maître et valet, pourtant, ne sont pas fâchés de devoir renoncer à Fidéline, dont la fréquentation

mettait leur raison en péril. Et le voyage à Naples
(« *Napoli... que les Napolitains appellent Naples... je
ne sais pas trop pourquoi* ») que Laverdure devait
entreprendre avec Fidéline, se fera finalement à
Venise, « *Venezia la bella* », avec Gaspard :

> LAVERDURE : *Dis donc, je t'appellerai Gaspardo...*
> GASPARD : *Oui, et vous ? votre petit nom ?*
> LAVERDURE : *Jean.*
> GASPARD : *Je vous appellerai Jeannot !*
> LAVERDURE : *C'est ça, nous rirons !* (Tout à
> coup :) *Ah ! je t'adopte ! Tu seras mon neveu...*
> Il lui présente la main. Gaspard la baise (scène 20).

Si reposante que soit la cohabitation homosexuelle,
Paulin et Falaise, les deux dragons de *On demande
des culottières,* la trouvent monotone, lorsque Fla-
chart, leur capitaine, les met aux arrêts pour éviter
qu'une fois de plus ils ne lui « coupent l'herbe sous
le pied » auprès des honnêtes femmes. Les deux militaires, afin d'attirer les représentantes du beau sexe, se
travestissent en femmes et réclament par voie d'annonce des ouvrières pour leur fabrique de culottes.
« *Je me suis dit* », précise Falaise, « *des modistes ou
des culottières... qu'est-ce que ça fait au lieutenant ?...
c'est toujours du beau sexe* » (scène 3). L'intrigue,
enlevée « à la dragonne », ne dépasse guère le comique troupier. Mais la virilité du soldat, réincarnée
dans la personne du lieutenant Emile Tavernier,
déclenchera bientôt pour Fadinard la série de tribu-
lations que provoque par son absence *Un chapeau de
paille d'Italie.*
Hélène Nonancourt est pourtant à première vue
une fiancée de tout repos ; Fadinard s'en réjouit et
il ne semble pas craindre, pour sa part, la réapparition
de quelque ancienne maîtresse susceptible de troubler
la noce. Mais ce « jeune homme pressé », à qui ses
« *vingt-deux francs de rente... par jour* » (I, 4) ont

valu sans difficulté la main d'Hélène, et que gêne seulement la présence d'un cousin Bobin un peu trop familier, sous-estime sans doute le premier avertissement du père Nonancourt, pépiniériste à Charentonneau : « *Monsieur, on ne marche pas dans les plates-bandes !* » (I, 4). Il va expier durement sa désinvolture. Que ne surveille-t-il pas au moins son cheval qui, en dévorant un chapeau de paille dans le bois de Vincennes, introduit au domicile conjugal un couple importun et interdicteur. Anaïs, à qui appartient le chapeau mangé, s'était isolée dans le bois en compagnie du lieutenant Emile, son « cousin » (ils auraient, ainsi qu'Hélène et Bobin, « *été élevés ensemble* »...). Impossible pour elle de rentrer chez son mari si Fadinard, responsable de son cheval, ne lui procure un chapeau semblable au sien. Pas de chapeau pour Anaïs, pas de noce pour Fadinard. Et, très naturellement, celui-ci se met en quête d'une modiste. Il en connaît une, Clara, et c'est chez elle que par hasard il entre, pour s'entendre reprocher son abandon : il l'a quittée un jour en pleine rue, sous prétexte d'aller chercher non un chapeau mais un parapluie, et il n'est jamais revenu... Tandis qu'il s'efforce d'apaiser Clara, il est rejoint par le cortège de ses invités qui, menés par Nonancourt, lui rendent la fuite impossible. L'un des invités, l'oncle Vézinet, pourrait, d'un mot, couper court à la tragédie qui commence : il a apporté en cadeau de noce un objet dont à chaque instant il est prêt à donner la description ; mais personne n'écoute Vézinet, sous prétexte qu'il est « *sourd comme un pot* ». En fait, c'est toute la noce qui est sourde : Tardiveau, vieil employé de Clara, a beau poursuivre à haute voix un monologue intérieur explicite, tous ont décidé qu'il était maire et allait célébrer le mariage. Tardiveau, renonçant à se faire comprendre, prend la fuite, la noce le poursuit, sans pour autant oublier Fadinard, dont le valet Félix survient, porteur de mauvaises nouvelles : Anaïs, en proie à une crise de nerfs, s'est installée chez lui dans le lit conjugal et, veillée par Emile, refuse de partir. Avant de s'enfuir avec la noce à ses trousses, Fadinard a appris cependant l'existence d'un chapeau semblable à celui dont il exhibe les lambeaux : il le trouvera chez la baronne de Champigny. Dans le salon de la baronne, quiproquo : Fadinard est pris pour un chanteur italien quelque peu fétichiste, que la baronne a surnommé l' « homme au soulier ». Belle mondaine, elle donnerait volontiers son soulier, mais c'est un chapeau qu'on lui réclame ; elle accepte finalement ; hélas, ce n'est pas le bon chapeau, et, nouveau cauchemar, les invités, croyant dans leur logique inexorable qu'après la mairie l'on se rend au restaurant, surgissent, Nonancourt en tête, et dévorent le souper de la baronne. Fadinard fuit, on le rattrape. Et c'est au cri de « *Sauve qui peut !* » qu'il s'élance hors du salon, où les invités, ivres, entraînent dans la danse les amies de la baronne... Il possède cependant un élément nouveau : la baronne a donné le chapeau de paille à sa filleule, Madame de Beauperthuis — c'est Anaïs, mais Fadinard l'ignore. En route pour le domicile des Beauperthuis. Là, un mari furieux de l'escapade de sa femme, prend un bain de pieds pour calmer ses maux de tête. Fadinard entre par effraction jusque dans la chambre à coucher de Madame de Beauperthuis, affrontant sans même la remarquer la fureur du mari. Apparaît Nonancourt, suivi de la noce. Nonancourt, qui a mal aux pieds, prend les chaussures de Beauperthuis, tandis que les invités, persuadés que la noce continue, s'apprêtent à camper chez Beauperthuis, se croyant chez Fadinard. Nonancourt croit, lui, le moment venu de « déposer dans le sanctuaire conjugal » le myrte qu'il a planté à la naissance de sa fille et que, depuis le matin du grand jour, il « sent pousser dans ses bras ». Fadinard, inattentif à tout ce qui n'est pas le chapeau absent, comprend enfin que Madame de Beauperthuis n'est autre que sa persécutrice, et c'est le désespoir : « *Ce chapeau que je pour-chasse depuis ce matin avec ma noce en croupe... le nez sur la piste, comme un chien de chasse... j'arrive, je tombe en arrêt... c'est le chapeau mangé !* » (IV, 9).

Il n'a plus qu'à retourner chez lui : la noce, cette fois, l'y a précédé, découvrant la présence intempestive d'une femme. Tout est perdu, « *tout est rompu* », comme se plaît à le répéter Nonancourt. Fadinard « *faiblissant* » cette fois pour de bon, ne peut plus que gémir : « *Beau-père, je voudrais m'asseoir sur vos genoux* » (V, 4). Mais avant que ne se réalise ce désir équivoque, Vézinet et Tardiveau — celui-ci reparu en uniforme de garde national — vont provoquer un dénouement aussi heureux que mouvementé : le chapeau apporté en cadeau par Vézinet est l'exacte réplique du chapeau perdu ; grâce à Tardiveau et aux relations militaires d'Emile, la garde nationale va permettre à Anaïs d'affronter, munie du chapeau, le courroux de Beauperthuis. Et Fadinard, haletant, éperdu, peut jouir enfin des présents que lui prodigue son beau-père : « *Je te rends ma fille, je te rends la corbeille, je te rends mon myrte !* » (V, 10). Hélène est devenue ce que Doublemard, dans *Une chaîne anglaise,* appelait « *la mariée au grand complet* ». Et la quête du chapeau, initiation et chemin de croix, a fait reparcourir à l'inhibé Fadinard les étapes dont le franchissement lui assure enfin la libre utilisation d'un myrte.

René Clair définit *Un chapeau de paille d'Italie* comme une « *poursuite insensée, le poursuiveur étant lui-même poursuivi, qui ne s'achèverait que par une explosion finale ou un carnage si Labiche, habile magicien, ne faisait sortir d'un chapeau l'heureux dénouement* [1] ». Et il baptise « vaudeville-cauchemar » le genre innové par Labiche. C'est bien d'un rêve en effet

1. Œuvres complètes de Labiche, Club de l'Honnête homme, préface au tome III.

qu'il s'agit, où les cinq actes n'en font qu'un, progressant au gré des images que suscite le cheminement d'une pensée jamais formulée, continuellement représentée. Fadinard, au matin du mariage, appelle de ses vœux la nuit d'amour — « *Ah ! je voudrais qu'il fût minuit un quart !* » I, 4, — et jusqu'au soir il va la rêver ou, plus exactement, rêver tous les obstacles qui menacent de troubler son heureux déroulement. Une contrariété réelle : la dévoration d'un chapeau par son cheval justifie son inquiétude vague, et va déclencher le défilé, de plus en plus rapide, des situations menaçantes — en fait, des souvenirs à revivre et des fautes à payer — inconsciemment substituées à la rêverie érotique. Contant la scène du chapeau à Vézinet (qui n'entend pas), il en fait apparaître les deux protagonistes, couple à la fois coupable et justicier. Fuyant Anaïs et ses plaintes de femme outragée, il retrouve l'image d'une femme réellement outragée par lui : Clara, qui, associée à l'idée d'un chapeau, devient la modiste, chez qui Tardiveau reproduit Vézinet dont il a les manies et, sous une forme nouvelle, la surdité. Croyant réparer par un baiser le mal qu'il a fait à Clara, il est surpris par Nonancourt : reproduction inversée d'une situation familière et désagréable, où Fadinard doit voir Bobin embrassant impunément Hélène. Bobin est là, d'ailleurs, à qui Nonancourt menace de « donner » Hélène ; et Bobin reparaît encore sous les traits d'Achille, jeune aristocrate ridicule qui hante les salons de la baronne et dont les allures efféminées évoquent l'artiste amateur. Amateur auquel va se substituer un Fadinard chanteur professionnel, et venu d'Italie (comme la paille du chapeau). Qui dit artiste dit caprices pervers — « *vous savez... les artistes !... et il me passe par la tête mille fantaisies* » III, 7, — et Fadinard, se faisant fétichiste, va gagner la partie à force de trépignements enfantins. Mais avec Nonancourt reparaît le monde adulte, et la baronne, étonnée par les facéties du petit Fadinard, trouve tout naturel qu'un homme d'âge mûr, même ivre et ridicule, lui prenne le bras et engage avec elle une conversation d'égal à égale : « *Figurez-vous, madame, que j'ai perdu mon myrte* » (III, 9). Comme Fadinard veut fuir l'intolérable spectacle des « grandes personnes » et de leur bonne entente d'où il est exclu, il se trouve nez à nez avec l'enfance perverse, Bobin et Achille, avec qui il doit poursuivre la farce où il se ridiculise. C'est au grand coupable qu'il faut régler son compte ; mais au lieu d'affronter le tout-puissant Nonancourt, mieux vaut le caricaturer en mari trompé et fatigué — Beauperthuis se voit attribuer le bain de pieds dont aurait besoin Nonancourt affligé de chaussures trop petites. Toute l'agressivité qu'il faut réfréner en présence de Nonancourt se déchaîne contre Beauperthuis, dont Fadinard viole la chambre conjugale. Et Beauperthuis arrivera en infirme (boîtant « *comme feu Vulcain* », et comme devrait boîter Nonancourt) au rendez-vous final, où Tardiveau et Vézinet, de plus en plus semblables, servent de repoussoirs à un Fadinard défaillant : ces deux impotents vont assumer tout le ridicule et en même temps permettre à Fadinard de recouvrer sa virilité, non sans accaparer au passage celle du belliqueux Emile dont il utilise les relations et l'agilité. Si bien que Fadinard, enfin maître de la situation, va pouvoir autoriser la garde nationale à « lâcher la noce », et poursuivre pour son compte son rêve de domination amoureuse.

Non seulement les personnages, projections de Fadinard, se dédoublent et se condensent comme ils le feraient en rêve, mais à chaque instant un mot fait surgir simultanément les diverses images dont il est porteur. Ainsi Nonancourt, dépeignant à Fadinard les joies du festin pris chez la baronne, évoque Bobin qui « *s'est jeté par terre en allant chercher la jarretière* » (III, 8) ; et, quelques répliques plus tard, il reprend le mot « jarretière » pour définir à la baronne la « décoration » qu'il porte... C'est par mégarde que

Fadinard fait servir l'Obélisque à deux fins très différentes mais associées : « *Il me faut ce chapeau à tout prix... dussé-je le conquérir sur une tête couronnée... ou au sommet de l'Obélisque !... Oui, mais... qu'est-ce que je vais faire de ma noce ?... Une idée ! si je les introduisais dans la colonne !... C'est ça... je dirai au gardien :* « *je retiens le monument pour douze heures ; ne laissez sortir personne* » (II, 8). Si la « tête couronnée » annonce la visite chez la baronne, avec l'idée d'emprisonnement dans l'Obélisque apparaît le désir, réalisé au dernier acte, de faire « coffrer » la noce inhibitrice.

Quant aux condensations de mots, du type « feu Vulcain », liant l'infirmité, puis le décès d'un homme trompé encombrant (Beauperthuis, alias Nonancourt) au nom de la divinité du feu, elles abondent dans *Un chapeau,* comme dans tout le théâtre de Labiche, immanquablement explosives par le catapultage des idées qu'elles regroupent et des niveaux de conscience qu'elles mêlent en un éclair.

IV

LE FAUX ET LE VRAI

L'évidence dans l'extravagant, la cohésion dans le
décousu, qui apparentent *Un chapeau de paille d'Italie* à une production onirique particulièrement riche,
s'organisent autour d'un matériel recensé peu à peu
dans les pièces courtes des années précédentes. Non
seulement en effet affleuraient là les thèmes profonds
du *Chapeau,* mais Labiche s'était exercé au non-sens
et au coq-à-l'âne dans quelques bouffonneries comme
Histoire de rire, où un homme assis à la fenêtre
pêche à la ligne les salades du potager sans que personne s'en offusque ; comme *Une tragédie chez Monsieur Grassot,* qui montre la répétition, par la troupe
du Palais-Royal, de l'*Iphigénie* de Racine, et où l'on
trouve des échanges de répliques tels que :
— *Quelle heure avez-vous ?*
— *Huit heures et quart.*
— *Vous retardez, il est sept heures et demie*
(scène 1).
Mais avec *Un chapeau,* Labiche, rassemblant les
pièces éparses de l'objet — ou du fantasme — mor-
celé, a su aussi dépasser l' « histoire de fous »
traditionnelle et lui substituer la libre circulation
entre les mots et les choses. Libre circulation qui est
elle-même représentée sur la scène par les domestiques,
Félix, valet de Fadinard, et Virginie, femme de
chambre d'Anaïs : la « liaison » amoureuse qui
permet à Virginie et à Félix de servir littéralement
d'agents de liaison entre les deux domiciles est un

53

peu plus qu'une commodité : le couple des domestiques donne l'image d'une liberté auprès de laquelle paraissent plus caricaturales encore les mésaventures sexuelles des possédants menacés d'impuissance.

Chez Labiche, qui se conforme en cela aux préjugés bourgeois les plus enracinés, les domestiques sont « libres », puisque, contrairement aux maîtres, ils n'ont rien à perdre. Telle était Joséphine, cuisinière de *La Clef des champs*. Tel est Antony, *Un garçon de chez Véry,* qui a pu dire un jour à son patron : « *Monsieur, je vois bien que je n'ai pas les moyens d'être votre domestique, je suis bien votre serviteur !* » (scène 8). Monsieur Galimard, qui le prend ensuite à son service, est loin de pouvoir afficher une telle désinvolture. Antony pourtant n'apprécie pas la liberté dont il jouit, car, tel Buster Keaton dans *Steamboat Bill Junior,* il cherche inlassablement son père inconnu. Les seuls indices dont il dispose sont le prénom de ce père : Anatole, et sa taille : un mètre soixante-dix. Il s'obstine donc à mesurer tous les Anatole qu'il rencontre. Heureuse coïncidence : Galimard se prénomme Anatole, et mesure un mètre soixante-dix. Autre coïncidence : Antony a servi, au restaurant Véry, le même jour, dans deux cabinets particuliers, Galimard accompagné d'une grisette, et Madame Galimard en galant tête-à-tête avec son cousin Alexandre. Reconnu par l'un et l'autre, Antony est l'objet de leurs prévenances, et pourrait se livrer au chantage. Mais trop heureux d'avoir trouvé un père, il se contente d'un confort modéré et, loin de trahir Galimard, surveille les amours d'Alexandre avec Madame Galimard — surveillance d'autant plus active qu'il a un instant été séduit par le charme de cette patronne trop avenante, en qui il a découvert avec effroi le fantôme de Phèdre. Galimard, content d'avoir, grâce à Antony, chassé Alexandre et retrouvé les faveurs de son épouse, n'a plus qu'à subir, sans les comprendre, les effusions filiales d'Antony : « *Je*

*ne vous quitte plus, je m'attache à vos pas... je me
cramponne à votre existence* » (scène 13).

Manicamp embrassant Folleville, Antony se jetant
dans les bras de Galimard, Fadinard aspirant à
s'asseoir sur les genoux de Nonancourt : le « trian-
gle » classique s'estompe au profit d'une tendresse
virile que trouble inutilement la présence de la femme
soi-disant convoitée. Et Labiche, sûr de lui après
Un chapeau, poussera loin, un peu trop loin parfois
au gré de son public, les fantaisies ébauchées à partir
d'une confusion de sexes. Ainsi, *Maman Sabouleux*
est en réalité un robuste fermier, tambour de ville à
ses heures, et qui, en compagnie de son voisin Pépinois, joue le rôle de père nourricier auprès de Suzanne
de Claquepont, âgée de huit ans déjà. Les Claquepont
avaient confié leur fillette à la femme de Sabouleux
qui au lieu de remplir ses obligations de nourrice
a pris la fuite avec un cuirassier. Suzanne, que ses
parents n'ont pas réclamée, a grandi avec Sabouleux ;
il lui apprend à boire et à jurer comme un villa-
geois, mais l'oblige à faire la cuisine. L'arrivée des
Claquepont bouleverse la vie tranquille de Sabouleux
et de sa nourrissonne. Comme les Claquepont réclament la nourrice, Sabouleux et Pépinois, affolés, ont
sans se concerter la même idée : ils disparaissent un
instant et reviennent costumés en femmes. Sabouleux, que le maire du village rappelle à l'ordre car il
doit « tambouriner » la vendange, passe machinale-
ment son tambour sur son tablier de nourrice. Les
Claquepont cependant, s'ils s'inquiètent de voir leur
fille en pantalon, ne semblent pas remarquer l'aspect
peu féminin de Maman Sabouleux. Et le malentendu
se poursuit, dans un dialogue de plus en plus abra-
cadabrant :

MONSIEUR ET MADAME DE CLAQUEPONT : *Notre
fille... en homme !*

SABOULEUX : *Pristi !*

PÉPINOIS : *Pristi !*

Sabouleux, perdant la tête, fait un roulement de tambour.

CLAQUEPONT : *Aïe ! Assez ! Cette nourrice me fera mourir.*

MADAME DE CLAQUEPONT : *Voyons... pourquoi ce costume ? Pourquoi ?*

CLAQUEPONT, à Suzanne : *Qui est-ce qui t'a fourrée là-dedans ?*

SUZANNE : *On m'a défendu de parler.*

CLAQUEPONT : *Quel est ce mystère ?... Nourrice... répondez !*

MADAME DE CLAQUEPONT : *Et cette robe de velours ?*

PÉPINOIS, montrant le costume de Suzanne : *La vlà !*

MONSIEUR ET MADAME DE CLAQUEPONT : *Comment ?*

PÉPINOIS, balbutiant : *La couturière a mal aux dents... alors, comme son mari est tailleur... il a fait ça... il s'est trompé, c't homme !*

SABOULEUX : *Mais le velours y est !*

MADAME DE CLAQUEPONT : *Celui que j'ai envoyé était orange, et celui-ci est noir !*

PÉPINOIS, à part : *Aïe !*

SABOULEUX, s'embrouillant : *C'est l'air, madame... c'est l'air... qui avec le soleil... de même dans la maladie du raisin... y pousse de dessur un petit champignon...*

PÉPINOIS : *Tu patauges...*

Sabouleux, très troublé, fait des roulements plus forts.

CLAQUEPONT : *Taisez-vous donc ! Taisez-vous donc !*

MADAME DE CLAQUEPONT : *Assez !... Cette nourrice est folle... Faisons les paquets de la petite... et emmenons l'enfant.*

Ils entrent vivement à gauche. Sabouleux les accompagne en battant la caisse plus fort que jamais (scène 18).

Homme ou femme, Maman Sabouleux est devenue un personnage en trop, représentant de la perversion de l'enfant, et peut-être de la négligence des parents. « Comment s'en débarrasser ? », dirait-on de nos jours... Fadinard, évoluant dans un monde où les mots et les actes s'équivalent, pouvait dire à Félix ou Virginie : « *Va-t'en ou je te tue !* ». Les Claquepont, si peu « vraisemblable » que soit leur aventure, appartiennent au monde réel, dans lequel la bisexualité de Suzanne et de sa nourrice ne peut avoir place. Claquepont, devant l'obstination de Suzanne à garder près d'elle Maman Sabouleux, consent à emmener la nourrice, et comme Madame de Claquepont s'affole (« *Cette femme chez nous !... quelle affreuse chose !* »), il la rassure en riant : « *Chut ! je lui prends un billet de troisième... embranchement sur Boulogne !... Elle pourra voir le camp !* » (scène 20).

C'est aussi une machination presque réaliste qui va permettre à Trébuchard d'effacer une tare incompatible avec son établissement social. *Les Suites d'un premier lit* ont pris la silhouette hommasse et le visage disgracieux de Blanche, quarante-huit ans, qui appelle « papa » un Trébuchard de vingt-neuf. Etudiant pauvre et endetté, Trébuchard vivait des libéralités de la veuve Arthur, limonadière qu'il payait « *en œillades électriques* » (scène 3). Sommé d'épouser la limonadière pour éviter la prison, il commença par repousser le mariage, car, chante-t-il :

« *Tiens, j'aimais bien mieux, sans comparaison,*
« *Aller en prison*
« *Qu'en vieille* »... (scène 3).

Mais comment supporter détention et manque de tabac ? Trébuchard capitula. La veuve Arthur ne tarda pas à trépasser, laissant à Trébuchard la charge de cette vieille fille, impossible à caser, impossible à cacher, et dont la présence a fait manquer au jeune « père » quelques bons mariages. Il la donnerait à n'importe qui, stupide capitaine d'infanterie ou, mieux, grand voyageur, quelque « *courrier de la malle de l'Inde* », et pourrait dire enfin : « *Eh bien oui, c'est vrai ! j'ai une fille... une vieille fille... mais elle se promène dans l'Indoustan... c'est un cheveu blanc qui court le monde... je ne l'ai plus... je me suis épilé* » (scène 8). Faute d'avoir pu réaliser cette opération salutaire, Trébuchard doit affronter la colère de sa plus récente fiancée, Claire Prudenval, de Reims, qui accepterait volontiers à son foyer un bébé « du premier lit », non une fille en âge d'être sa mère.

C'est alors que vient à Trébuchard l'inspiration, au cours d'un pathétique monologue :

« *Me voilà bien !... Ah ! je comprends le sacrifice d'Iphigénie en Tauride ; mais nous n'y sommes pas, et ici, c'est prohibé par les règlements de police... malheureusement !...* (Se promenant, très agité :) *Ah ça ! cette fille majeure ne me lâchera donc pas ?... Au bout du compte, elle ne m'est rien... elle est du lit Arthur... et je suis étranger à ce meuble !... C'est qu'il n'y a pas à dire, Claire s'est prononcée !... elle n'en veut pas comme fille... Blanche ne peut pourtant pas être sa mère !...* (Tout à coup, et frappé d'une idée :) *Hein ! sa mère ! pourquoi pas ?* (Plus fort :) *Pourquoi donc pas ?... Prudenval est veuf.* (Avec force :) *Il n'en a pas le droit !... D'ailleurs, j'ai besoin de lui !... il n'y a que lui de possible ! Il faut que mon beau-père devienne mon gendre ! Comment ? je ne le sais pas !... mais il le faut !* » (scène 14).

Blanche proteste bien un peu : « *Il est trop vieux !* », et Prudenval soupire : « *Dites donc... c'est bien amer* ». Mais Trébuchard conclut, paisible : « *Je vois que toutes les convenances y sont* » (scène 15). Pas de pitié désormais pour le fantôme de sexe incertain qui s'acharne à troubler les épousailles...

Pas de pitié non plus pour les maniaques de la vérité. C'est pourtant Chiffonnet lui-même, dans *Le Misanthrope et l'Auvergnat,* qui a voulu faire vivre à ses côtés Machavoine, porteur d'eau stupide, remarquable seulement par son horreur du mensonge.

Avec *Le Misanthrope et l'Auvergnat* Labiche s'exerce pour la première fois à la comédie satirique, essayant de montrer des « caractères » qui préexistent aux situations, et de satisfaire le goût grandissant du public pour le théâtre à tendance moralisante. La pièce commence par un monologue de Chiffonnet en forme de portrait traditionnel, plus proche pourtant de la caricature bouffonne que de l'esquisse « subtile » :

CHIFFONNET [en pet-en-l'air, un rasoir à la main, une bande de taffetas d'Angleterre sur la figure] : *Mon coutelier m'a dit que ce rasoir couperait... et ce rasoir ne coupe pas !...* (Avec amertume :) *Et l'on veut que j'aime le genre humain ! Pitié ! Pitié ! Oh ! les hommes !... je les ai dans le nez ! Oui, tout en ce monde n'est que mensonge, vol et fourberie ! Exemple : hier, je sors... à trois pas de chez moi, on me fait mon mouchoir... J'entre dans un magasin pour en acheter un autre... il y avait écrit sur la devanture : English spoken... et on ne parlait que français !* (Avec amertume :) *Pitié ! Pitié... Il y avait écrit : « Prix fixe... ». Je marchande... et on me diminue neuf sous !... Infamie !... Je paye... et on me rend... quoi ? une pièce de quatre sous pour une de cinq !... Et l'on veut que j'aime le genre humain... non ! non !... non !... Tout n'est que mensonge, vol et fourberie !... Aussi, j'ai conçu un vaste dessein... J'ai des amis, des canailles d'amis qui, sous prétexte que c'est aujourd'hui ma fête, vont venir m'offrir leurs vœux menteurs. Je leur ménage une petite surprise... un raout... une petite fête Louis XV, avec des gâteaux de l'époque et des rafraîchissements frelatés, comme leurs compliments.*

Je leur servirai des riz au lait sans lait... et sans riz !...
A minuit, je monte sur un fauteuil et je leur crie :
« Vous êtes tous des gueux ! j'ai assez de vos grima-
ces ! fichez-moi le camp !... » Et, quand ils seront
partis, je brûlerai du vinaigre... » (scène 2).

La rencontre avec l'intransigeant Machavoine apaise quelque temps ce misanthrope en quête de pureté. Mais comme Chiffonnet a une intrigue avec Madame Coquemard, et que Machavoine menace de tout révé-ler au mari, il faut éloigner d'urgence l'*alter ego* devenu dangereux. Comme les Claquepont à Sabouleux, Chif-fonnet propose à Machavoine un voyage en chemin de fer sans retour :

CHIFFONNET : *Mon ami, j'ai une petite commission à te donner...*
MACHAVOINE : *Pour ce soir ? C'est impossible !*
CHIFFONNET : *Tu seras revenu dans une petite demi-heure.*
MACHAVOINE : *Ah ! comme ça, allez !...*
CHIFFONNET : *Tu vas courir tout de suite, tout de suite !... au chemin de fer d'Orléans.*
MACHAVOINE : *Excusa !*
CHIFFONNET : *Tu demanderas un billet... de troi-sième classe... ce sont les meilleures... pour Angers.*
MACHAVOINE : *Angers ?... Là ousque c'est ?*
CHIFFONNET : *Un peu au-dessus d'Asnières, n'est-ce pas, Prunette ?*
PRUNETTE : *Oui, on voit le clocher.*
MACHAVOINE : *Après ?*
CHIFFONNET : *Une fois là, tu demanderas le briga-dier de la gendarmerie et lui diras ces simples mots :* « Monsieur, je n'ai pas de passeport. »
MACHAVOINE : *C'est la vérité !*
CHIFFONNET : *Oh ! pour rien au monde je ne voudrais te faire faire un mensonge !* (Reprenant :)

« *Je n'ai pas de passeport... Veuillez me procurer un logement.* »

MACHAVOINE : *Et je r'viendrai.*

CHIFFONNET : *Tout de suite* (scène 18).

Edgard (*Edgard et sa bonne*) propose bien à Florestine, femme de chambre de sa mère dont il a fait sa maîtresse, un voyage à Asnières le jour où, pour signer son contrat de mariage, il doit chasser de la maison cette preuve vivante de son inconduite. Mais Florestine feint de partir, revient, s'agite, et, comme enfin elle s'évanouit, Edgard, qui l'a littéralement « sur les bras », arpente la scène en gémissant : « *Où diable la fourrer ?... où diable la colporter ?* » (scène 12). Entre Florestine qui s'accroche à lui, sa mère et son futur beau-père — la fiancée existe si peu — qui le pressent, Edgard est acculé à des positions de plus en plus inconfortables, obligé de porter tantôt Florestine elle-même, tantôt des objets, charbon de bois ou bassinoire, évoquant Florestine, à moins qu'il ne grimpe sur une échelle pour accrocher les rideaux qu'apporte Florestine, tout en justifiant ses bizarreries par une hypothétique rage de dents. Le beau-père Veauvardin, heureusement, note à peine, comme de simples désagréments, la manie qu'a Edgard de lui faire porter du charbon de bois, ce qui « *noircit les gants* » (scène 15), ou de l'obliger à poursuivre au sommet d'une échelle un entretien de première importance. Il s'agit bien moins, en fait, du mariage et du contrat que du vaste projet qui hante Veauvardin :

UN DOMESTIQUE, annonçant : *Monsieur de Veauvardin !*

EDGARD, en haut de l'échelle : *Fichtre ! Mon beau-père !*

Il met vivement son mouchoir en mentonnière.

VEAUVARDIN : *Où est-il, ce cher Edgard Beaudeloche ?... Je viens savoir de ses nouvelles.* (Apercevant

Edgard :) *Tiens ! qu'est-ce que vous faites là ?*

EDGARD, sur l'échelle et se prenant la mâchoire : *Je souffre tant ! je ne sais où me mettre !...*

VEAUVARDIN, à part : *Monter à l'échelle pour un mal de dents... c'est une drôle d'idée !*

EDGARD : *Bonjour, beau-père.* (Poussant un cri de douleur :) *Ah !...*

VEAUVARDIN, montant aussi à l'échelle : *Mon pauvre garçon, voilà une maladie qui tombe bien mal... un jour de contrat !*

EDGARD, inquiet : *Oui, plus bas !*

Veauvardin descend quelques échelons.

VEAUVARDIN : *Pourquoi ?*

EDGARD : *A cause de mes dents...*

VEAUVARDIN, remontant : *Avez-vous essayé de vous faire magnétiser ?*

EDGARD : *Non, pas encore. Est-ce que vous croyez à cela, vous ?*

VEAUVARDIN : *Mon cher, j'ai été témoin de choses si extraordinaires !... Il y a quinze jours, j'avais un rhume de cerveau... le cerveau, c'est ma partie faible... je vais chez une somnambule qui avait les yeux fermés...* (Ici, Edgard, sans être vu de Veauvardin, descend de l'échelle et va regarder à la porte de l'angle droit.) *Elle me prend la main, elle se recueille et me dit : « Rassurez-vous, madame, vous en avez pour neuf mois ! »*

EDGARD : *Et vous en avez eu pour dix francs !*

VEAUVARDIN, qui le croyait sur l'échelle : *Ah !* (Descendant :) *Oui, parce qu'elle n'était pas lucide ! Mais j'en cherche une lucide...*

EDGARD : *Vous ! pour quoi faire ?* (Appelant :) *François !*

VEAUVARDIN : *Chut ! c'est un secret !*

François entre.

EDGARD, à François : *Emportez cette échelle...* (A Veauvardin :) *Je ne vous le demande pas.*

François emporte l'échelle par l'angle de gauche.

VEAUVARDIN : *Si, je vais vous le dire...*

EDGARD, prenant son chapeau : *Vous me conterez ça en route.*

VEAUVARDIN : *Figurez-vous que, le 27 septembre dernier... dans ma terre du Berry... on a trouvé deux truffes...*

EDGARD, lui donnant aussi son chapeau : *Qui ça ?*

VEAUVARDIN : *Ceux qui les trouvent ordinairement... les... mais ils ont la fâcheuse habitude de les manger incontinent...*

EDGARD, tirant sa montre : *Dites donc, cinq heures et quart !*

VEAUVARDIN : *Ça m'est égal... Alors, j'ai eu l'ingénieuse idée de les remplacer par une somnambule... qui les trouverait... sans les manger !... Ça serait une opération magnifique... Je lui donnerais cinq pour cent dans les bénéfices... mais il faut qu'elle soit lucide ! Je cherche un sujet dans tout Paris... et si je peux mettre une fois la main dessus...* (scène 7).

Ecouté avec impatience, le discours de Veauvardin reviendra en mémoire à Edgard lorsque, Florestine menaçant de révéler le secret devant la famille réunie, il pensera soudain à la faire passer pour somnambule. Comment éloigner Florestine ? Comment échapper à une situation compromettante ? Edgard, comme Fadinard, vit un mauvais rêve, mais c'est le désir qui poussait Fadinard, chacune de ses fuites était en même temps un nouvel élan pris pour la course au trésor. Edgard, à l'approche du mariage, refuse le désir pour ne vivre que la peur. Pour garder sa place dans le cercle de famille, il se contorsionne sur place, ravalant volontiers la femme autrefois désirée au rang de cochon chercheur de truffes, ne cherchant lui-même rien d'autre que la paix du ménage à tout prix. Tel le rêveur qui, se sentant nu dans la foule, s'étonne de n'être pas remarqué, il ne parvient même pas à faire scandale dans ce salon familier en y introduisant les objets les plus insolites. Enfant rageur et épouvanté, il ne met en péril ni lui-même ni les siens, et un contrat dûment signé fera de lui le digne successeur de Veauvardin. Labiche, dans le même temps où il pousse l'audace jusqu'à placer dans un cadre réaliste les pires extravagances, a rapetissé son « héros ». Va-t-il désormais prendre ses distances par rapport à cet Edgard typiquement bourgeois dans son conservatisme halluciné, et en proposer une description critique ? Va-t-il au contraire pousser plus loin encore l'identification, et tendre indéfiniment au public cette image de lui aussi inoffensive que grotesque ?

Entre les aspirations contradictoires qui se lisent dans ces œuvres d'auteur « arrivé », un choix bientôt risque de s'imposer, dont dépendra peut-être le succès à venir. Labiche, provisoirement, se contente d'exploiter les thèmes du *Chapeau,* passés au rang de ficelles. *On dira des bêtises* joue essentiellement sur les « personnes déplacées ». De même que Nonancourt et ses invités, dans le magasin de Clara, se croyaient à la mairie, Dubouquet et son ami — plus exactement son double — Bigaro, égarés dans une soirée quasi aristocratique, se croient chez des cocottes, mettant en danger par leurs inconvenances le mariage de Paul, neveu de Dubouquet, avec Fanny, nièce de Madame de Prévannes. Paul, il est vrai, porte la responsabilité de cet inquiétant quiproquo : menant double vie, il est invité le même soir chez Madame de Prévannes et chez une fille légère habitant le même immeuble. Il doit aussi affronter un double danger, menacé qu'il est par un prétendant rival et par une ancienne maîtresse prête à tout. Comment distinguer le beau monde du demi-monde, Dubouquet de Bigaro, le vrai du faux, dans ce jeu de miroirs où tout est double et interchangeable ? Traité avec la désinvolture dont Labiche s'est souvent montré capable, le sujet permettrait d'attendre une œuvre ambiguë d'un genre nouveau. Mais *On dira des bêtises,* écrit, en outre, pour les Variétés, théâtre plus « sage » que le Palais-Royal, ne dépasse guère le ton de la gauloiserie, où transparaît de ci de là une sévérité bienveillante à l'égard des vieillards polissons.

De même, *Un notaire à marier,* malgré une cascade de confusions, de rencontres, de dédoublements et de déplacements, tourne à la comédie de mœurs. Non content de montrer les agitations cocasses d'un épicier enrichi égaré dans un salon aristocratique, et d'un jeune notaire avide d'épouser une dot sans renoncer à l'amour, Labiche entend donner une leçon, et des plus banales : que chacun reste à sa place et se marie selon son cœur, à condition que les exigences de ce cœur n'aillent pas à l'encontre des intérêts raisonnables. Comme le plaisir du théâtre, pour lui, est celui du non-sens, il intercale dans une action sans fantaisie quelques scènes burlesques mais qui, privées de la dynamique interne qui assurait l'unité du *Chapeau,* font figure d'intermèdes peu conformes au « bon goût ».

Le moraliste « juste milieu » et le farceur débridé vont essayer de cohabiter dans *La Chasse aux corbeaux,* compromis audacieux dont l'imperfection voyante masque trop l'authentique nouveauté.

Cricqueville, bachelier ès lettres, poète et rentier, a été ruiné par les flatteurs dont il s'entourait. Il décide de se tuer. Au bord de la Seine — qui est gelée — Cricqueville rencontre Antoine, cireur de bottes que le froid sec et l'absence de boue privent de son gagne-pain. Survient le colonel Renaudier, père de Clotilde que Cricqueville veut épouser. Renaudier consent, dit-il, au mariage, si Cricqueville avant deux mois s'est « *complété* » en trouvant une situation. Il n'en faut pas plus pour que Cricqueville renonce au suicide, et entreprenne de faire fortune. La fable de La Fontaine, *Le Corbeau et le renard,* lui dorne soudain l'idée qu'il triomphera par la flatterie, tout homme étant susceptible de se comporter en « corbeau ». Plat début. Mais, pour la première fois, Labiche tente de quitter les conflits familiaux et de présenter le monde de l'argent. Auprès des financiers, aussi bien du boursier équivoque Montdouillard, coureur et vulgaire autant que malhonnête (annonciateur des aventuriers médiocres que Zola montrera dans *L'Argent*), que de Flavigny, noble et stupide administrateur des chemins de fer, la flatterie fait long feu : Cricqueville peut obtenir des invitations à dîner, ou des places à l'hippodrome, mais Montdouillard lui refuse net les actions « au pair » de l'emprunt « valaque » qu'il lance, Flavigny ne veut rien entendre pour lui confier un poste d'inspecteur des chemins de fer... Et Flavigny, à Cricqueville qui s'étonne de son revirement : « *Certainement, je vous aime beaucoup ! je vous trouve charmant, complaisant, complimenteur même !... mais, dans ce monde, il ne suffit pas de dire : « Ah ! le joli gilet ! ah ! le beau cheval ! ah ! le magnifique rapport ! » pour obtenir des places de dix mille francs !... Non, ce serait trop facile !...* »

CRICQUEVILLE : *Permettez, monsieur...*

FLAVIGNY : *Dans le siècle où nous vivons, il y a quelque chose qui ne se laisse pas séduire aisément... c'est l'argent !... La pièce de cent sous ! ... elle n'a pas d'oreilles, pas d'amour propre... On ne la flatte pas, elle... on la place !... Quant à ces charmantes adulations qui nous font plaisir, j'en conviens... nous avons pour les payer ce que nous appelons la petite monnaie...*

CRICQUEVILLE : *La petite monnaie ?*

FLAVIGNY : *Oui, les cigares, les dîners, les billets de spectacle !* (IV, 6).

Ces propos balzaciens font assez mauvais ménage, à vrai dire, avec la conclusion hautement morale à

66

laquelle Labiche veut en venir, et que du reste il n'amènera pas sans que Cricqueville s'érige en maître-chanteur possible, puis triomphe de Flavigny en renonçant ostensiblement au chantage, et de Mont-douillard en le menaçant de faire tomber son emprunt « valaque ». De justesse, et très arbitrairement, Flavigny, dominant de sa haute naissance le roturier Mont-douillard, a le dernier mot :

CRICQUEVILLE, à Flavigny : *Eh bien ! mon cher, vous aviez raison, dans ce monde, il n'y a qu'un moyen d'arriver... c'est de se faire craindre !*
FLAVIGNY : *J'en connais un meilleur.*
CRICQUEVILLE : *Que faut-il donc ?*
FLAVIGNY : *Un peu de cœur, et beaucoup de travail.*
CRICQUEVILLE, à part : *Décidément, j'en ferai mon ami* (V, 11).

Rien d'étonnant que le public du Palais-Royal, trente ans avant que le Théâtre Libre tente à grand' peine de s'imposer, boude cette représentation peu séduisante des « affaires ». Mais aussi Labiche, loin de trouver ici l'aisance coutumière, est incapable d'opter entre une critique qui l'effraye et une morale bour-geoise qui l'ennuie. Les réussites proprement théâ-trales de *La Chasse aux corbeaux* restent marginales : telle l'intervention de la cuisinière Catiche, spécula-trice au petit pied qui, chassée en vingt-quatre heures de deux maisons pour incompétence, gagne deux fois ses « huit jours » ; tel aussi l'Anglais saugrenu qui, attablé au Café de Paris, provoque au « duel à l'indi-gestion » quiconque ose rivaliser avec lui d'appétit : comme le vaincu paye l'addition, l'Anglais générale-ment triomphe : « *Je avais déjà fait crever deux amis à moâ* » (III, 10)... L'étranger, le « sauvage », qui ose parler d'argent, de nourriture et de mort — même s'il n'est pas sans rapport avec la figure alors familière de Nuncingen — deviendra d'ailleurs pour Labiche un homme de paille aux multiples ressources.

L'échec de *La Chasse aux corbeaux* n'est pas seulement un échec théâtral, mais celui d'une tentative d'ouverture. Après une courte bouderie, Labiche va, renonçant à faire entendre au public quelque message que ce soit, le flatter délibérément ; et la seule flatterie rentable a pour ressort l'identification. Cricqueville l'a bien compris dans la meilleure scène de *La Chasse aux corbeaux,* celle où, pour séduire le bossu Saint-Putois, il se fait bossu lui-même :

CRICQUEVILLE, seul : *Il est bossu !... il est bossu !... si j'avais pu prévoir ça !...* (Apercevant le coussin sur la chaise de l'employé :) *Oh ! quel trait de génie !* (Il le prend et se le fourre dans le dos.) *Similia similibus !... La flatterie homéopathique !*

SAINT-PUTOIS, entrant et grognant : *C'est insupportable ! on ne peut pas être un moment tranquille !*

CRICQUEVILLE : *Pardon, monsieur !*

SAINT-PUTOIS, brusquement : *Voyons, monsieur, que voulez-vous ?* (Apercevant la bosse de Cricqueville :) *Ah !... tiens, tiens...* (Très doucement :) *Eh bien, parlez donc, mon ami... ne craignez rien...*

CRICQUEVILLE, à part : *Son ami !... ça opère !* (Haut :) *Je vois que je suis venu dans un moment inopportun... je vais me retirer...*

SAINT-PUTOIS : *Du tout !... Restez donc !...* (A part :) *Elle est beaucoup plus forte que la mienne.*

CRICQUEVILLE : *Vous allez me trouver bien audacieux, moi, un étranger, un inconnu...*

SAINT-PUTOIS, qui n'a cessé de regarder le dos de Cricqueville : *Pardon !... est-ce de naissance ou d'accident ?*

CRICQUEVILLE : *Vous voulez parler de...*

SAINT-PUTOIS : *Oui.*

CRICQUEVILLE : *C'est de naissance.*

SAINT-PUTOIS : *Moi aussi.*

CRICQUEVILLE : *Quoi ?*

SAINT-PUTOIS : *Vous n'avez pas remarqué ?... J'ai une épaule un peu plus... forte que l'autre...*

CRICQUEVILLE : *Ah bah !... vous ?* (Après avoir regardé :) *Laquelle ?*

SAINT-PUTOIS : *Comment !* (A part :) *Le fait est qu'à côté de lui, ça ne paraît pas... Il a l'air d'un très brave garçon !...* (Haut :) *Voyons, contez-moi votre affaire... Tenez, asseyez-vous.*

Ils s'asseyent en face l'un de l'autre. Profil au public (IV, 5).

V

OTEZ VOTRE FILLE, S'IL VOUS PLAIT

Labiche et son public s'enferment pour quelques
années dans un face-à-face complice, analogue à celui
de *Deux profonds scélérats,* que le hasard a réunis
dans une cellule de prison. Frétillard, professeur, et
Poncastor, commerçant, ont été pris en flagrant délit
d'adultère. Méfiants d'abord — chacun voit en l'autre un bandit — ils adoptent, pour se faire respecter,
le langage des repris de justice. Découvrant qu'ils
sont là tous deux pour un délit anodin, ils se congra-
tulent et se racontent leurs fredaines. Quelques coïncidences découvertes, et Poncastor se croit trompé
par Frétillard, Frétillard par Poncastor. Ils s'insul-
tent. Mais le geôlier leur apprend, en même temps
que leur libération immédiate, l'inanité de leurs
soupçons. Ils se séparent bons amis, les légères escro-
queries avouées au passage par Poncastor ne trou-
blant pas le moins du monde Frétillard.

Dans le huis clos rassurant d'une représentation
dont l'heureux dénouement est garanti, Labiche
triomphe sans peine de ses « semblables », par le
rire. Le rire un peu canaille, un peu honteux, un peu
anxieux, que se donnent ensemble deux voyeurs.
Voyeurs mâles, bien sûr, tels Paul et Saturnin des
Marquises de la fourchette. Paul va épouser la fille
de Saturnin et s'offre une dernière soirée de garçon
dans un restaurant, en compagnie d'une fleuriste :

« *Sapristi !... j'ai chaud ! parole d'honneur, c'est
la dernière fois que ça m'arrive !... c'est trop com-
promettant !... Avec celle-là surtout... elle a la rage*

de mettre la tête à la portière pour faire voir qu'elle va en voiture... Il y a des femmes qui sont comme les bracelets perdus : elles aiment à s'afficher ! et moi ça ne me va pas... dans ma position... un rentier qui va se marier dans quinze jours avec la fille d'un de nos médecins les plus... dangereux ! il m'a avoué qu'il ne soignait jamais sa famille... Alors je lui ai demandé la main de sa fille ! C'est pourtant en composant ma corbeille de mariage que j'ai découvert ce charmant échantillon de fleuriste... C'est très dangereux pour un jeune homme de composer sa corbeille... La semaine dernière, j'ai failli sombrer dans un magasin de modes !... mais maintenant c'est fini... je n'ai plus à voir que les ébénistes !... c'est égal... j'ai des remords... c'est mal ce que je fais là... Après ça, on ne le saura pas... alors ce n'est pas mal... et puis c'est la dernière fois » (scène 3).

Au même instant, Saturnin, le médecin « dangereux », arrive dans le restaurant, portant perruque et lunettes vertes. Pour lui, à quarante-cinq ans, ce n'est pas la dernière, mais la première escapade :

SATURNIN, il ôte ses lunettes et sa perruque, son front est chauve : *Ma parole d'honneur, c'est la première fois que ça m'arrive, aussi je suis très ému ! Dire que me voilà chez un restaurateur... avec une jeune dame... qui n'est pas ma nièce... c'est une petite teinturière à laquelle j'ai donné ma pratique... Depuis deux mois, je lui fais teindre et reteindre tous mes gilets.* (En soupirant et montrant son gilet :) *Eh bien, malgré tous ces sacrifices... elle a refusé de couronner mes feux... mais j'espère bien qu'avant peu... Eh bien, non, je n'en suis pas sûr !... l'image de ma femme... je suis marié... on n'est pas parfait... son image est toujours devant moi... majestueuse, avec ses yeux gris et son teint légèrement couperosé...*

71

*Alors je tremble, je rentre en terre... car ma conduite
est bien vile, bien basse, bien...* (Changeant de
ton :) *Voyons, qu'est-ce que nous allons manger ?* »
(scène 5).

Paul et Saturnin se rencontrent, essayent de se fuir,
chacun croyant l'autre innocent et juge. Ils tentent
de dissimuler leurs compagnes respectives, et se font
servir ensemble un souper qu'ils ne mangent pas.
Le problème est bientôt, pour l'un et l'autre, d'éloigner les « marquises » affamées et furieuses ; ils y
parviennent et s'attablent enfin, face à face, Paul
contemplant le vieil homme qu'il deviendra, Saturnin le jeune homme qu'il eût voulu être, dans la satis-
faction tranquille de ceux que ne trouble plus l'attrait
du sexe opposé.

Paul ne va pas, cependant, jusqu'à dire à Saturnin, comme l'artiste Follebraise au rentier Montdoublard : *Otez votre fille, s'il vous plaît.* La vue d'Isabelle Montdoublard à son balcon coupe en effet
l'inspiration du peintre en éveillant ses désirs : « *Ça
me trouble ! ça m'excite... je cherche la tête d'un
Cimbre mourant, et qu'est-ce que je trouve ?... une
ingénue flanquée d'un grand dadais qui gratte la
tête d'une perruche... lui faisant de l'œil ! Que diable ! je ne peux pas mettre ça dans mon tableau !* »
(I, 11).

Follebraise évince le « grand dadais », oublie la
perruche — évoquerait-elle « Edmond », le perroquet
qui dans *La Clef des champs* bécotait Mademoiselle
Eléonore ? —, et séduit le beau-père en lui prouvant
que, bien que peintre, il a des rentes. Renonçant à
la création artistique, il va épouser Isabelle, qui
attend impatiemment le mariage :

ISABELLE : *Encore quelques jours...*
FOLLEBRAISE, jouant toujours la passion mais se
refroidissant de plus en plus : *Oui... et nous louerons*

toute une place de fiacres à l'heure... elle nous con-
duira devant Monsieur le maire... après, elle nous
ramènera manger de la dinde aux marrons en famille...
C'est très gai les noces ! et tout sera dit... nous
serons liés pour l'éternité !

ISABELLE : *Quel bonheur !*

FOLLEBRAISE : *Ah ! oui.... (A part :) Tiens ! on*
dirait qu'elle a un œil plus grand que l'autre...
(II, 10).

Isabelle serait-elle infirme, elle qui menace de le
rendre infirme en le privant de sa créativité ? Fadinard déjà, se sentant incomplet sans le fameux chapeau, s'était troublé en voyant Hélène se tortiller
compulsivement : « *Ah ça ! mais c'est un tic... je*
ne l'avais pas remarqué... » (I, 6). Edgard, pour
rassurer Florestine, lui affirmait que sa fiancée était
inépousable parce qu'affligée d'une jambe de bois.
Blanche de Sainte-Poule, dans *La Perle de la Cane-*
bière, après avoir écouté silencieusement le récit que
fait la veuve Marcasse, Marseillaise intrépide, de la
dévoration de son mari par les Cafres, refuse d'épouser Godefroid son fiancé trop tiède, en prétendant
qu' « *il a un bras de moins* ». *Monsieur de Saint-*
Cadenas, qui défend jalousement à grand renfort de
fermetures perfectionnées ses possessions les plus
minimes, s'obstinera longtemps à découvrir l' « infirmité » de Clémence, à qui il redoute de devoir confier
ses clefs... Labiche, à force de flatter les bossus du
parterre en leur exhibant ses propres bosses, n'en vien-
drait-il pas à révéler ses secrètes inquiétudes, ravivées
par la matrone cannibalique de la Canebière ? Ce
Godefroid, épouvanté par les avances de la veuve Marcasse à qui il fait l'effet d'une « *petite caille bien*
grasse », ressentirait-il quelque chose des angoisses
hargneuses d'Emile Bèche devant les « petits plats »
maternels ? Il est grand temps de retrouver la mâle
« gaieté nationale ».

C'est encore une infirme, la bossue Emerantine, qui déclenche l'action de *Si jamais je te pince,* mais l'infirme cette fois reste en coulisse, et Labiche retrouve sa verve dans une poursuite échevelée dont le dynamisme ne fait place ni aux velléités moralisatrices, ni aux amorces de confessions gênantes.

Papavert, officier de santé, s'apprête à donner un bal, ultime effort pour caser sa nièce Emerantine. C'est Faribol qui dirigera les musiciens. Or, Papavert n'est pas seul à chercher partout Faribol : l'épouse de celui-ci, la belle Alexandra, « *Corse mais honnête* », le poursuit de sa haine vengeresse car il l'a trompée avec une danseuse, à qui il apporte honteusement un homard. Prête à tout pour confondre l'infidèle, Alexandra le fait suivre par un garçon de café à qui, distraitement, elle donne en guise de pourboire les pinces du homard. Chez elle, elle recourra aux pincettes pour attaquer Faribol, tout en accueillant complaisamment les avances d'un soupirant inconnu et la bruyante compagnie de quelques clercs de notaire. Tous se retrouveront au bal de Papavert, Alexandra flanquée des clercs de notaire, à qui elle confie le soin de supprimer Faribol. Et ils font ce qu'ils peuvent :

PREMIER CLERC : *Nous en voilà débarrassés !... comme il était très lourd, nous l'avons lancé dans l'omnibus de Chaillot.*

DEUXIÈME CLERC : *Nous avions d'abord songé au Pont des Arts.*

PREMIER CLERC : *Mais cela nous eût menés trop loin...* (III, 11).

Faribol revient pourtant, déguisé en « garçon limonadier » ; son flûtiste Léopardin, subitement amoureux d'Alexandra, l'imite sans qu'ils se soient concertés ; et Faribol gagne de haute lutte le pardon d'Alexandra. De haute lutte, c'est-à-dire en la menaçant de suicide, si plaisamment que soit amenée la scène du chantage :

PAPAVERT, à Faribol : *Que fais-tu là, sur cette fenêtre ?*

FARIBOL, toujours sur la fenêtre : *Je raconte une anecdote... Monsieur Tortoni nous paye pour raconter des petites anecdotes dans les soirées qui languissent... c'est très comme il faut !...*

CORINNE : *Ah ! par exemple ! écouter un garçon limonadier !*

TOUS : *Oh !...*

ALEXANDRA : *Pourquoi pas ? puisqu'on ne danse pas, ça nous amusera.*

TOUS : *Oui, oui... ça nous amusera !*

PAPAVERT : *Allons, parle...* (A part :) *Quelle drôle de soirée !*

FARIBOL, arrivant en scène ; il donne son plateau à Léopardin : *C'est un conte des* Mille et une Nuits... *arrivé à une sultane dont le mari tenait un café à l'enseigne du* Homard repentant... *à Bagdad...*

ALEXANDRA : *Continuez, garçon !*

FARIBOL : *Ce mari... un nommé Faribol-al-Raschild... était un assez vilain coco... un pas grand-chose... qui ne craignait pas de tromper sa femme...*

ALEXANDRA : *Pour une drôlesse...*

FARIBOL : *De Bagdad !...*

CORINNE : *Oh ! c'est affreux !*

LÉOPARDIN : *C'est ignoble !*

TOUS : *C'est abominable !*

FARIBOL : *C'est un gueux !... Je demande qu'on le fasse asseoir sur quelque chose de pointu !*

PAPAVERT, à part : *Dire que c'est là une soirée dansante !*

FARIBOL : *Mais il en fut bien puni !... Sa femme... la sultane... qui était Corse... de Bagdad... résolut de se venger !... Elle jeta les yeux sur un jeune calife...*

75

LÉOPARDIN, à part : *Il m'a regardé, je suis le calife !*

ALEXANDRA : *Continuez, garçon !*

FARIBOL : *On convient d'un enlèvement... par la fenêtre... le palanquin était à la porte... la dame déjà son manteau sur les épaules et un pied sur le balcon...*

LÉOPARDIN, à part : *Ça finira par du sang !*

PAPAVERT : *Enfin, est-elle partie, votre sultane ?*

FARIBOL, regardant Alexandra : *Mais...*

ALEXANDRA, avec force : *Eh bien, oui !*

TOUS : *Hein ?*

ALEXANDRA : *Elle sauta par la fenêtre malgré son mari, malgré les gendarmes, malgré tout !*

LES FEMMES : *Elle fit bien !*

FARIBOL : *Oui !... mais sous le balcon... se tenait l'infortuné Faribol-al-Raschild, un verre de limonade à la main* (prenant un verre sur le plateau de Léopardin :) *comme ceci... il dit à la sultane : « Etoile du matin ! si tu files, tu ne me retrouveras pas vivant ! »*

TOUS : *Hein ?*

FARIBOL : *Et il tira lentement de sa poche un petit papier...* (il l'en tire) *il le déplia... et versa dans la limonade une petite poudre blanche.*

Il la verse.

ALEXANDRA : *Ah ! mon Dieu !...*

FARIBOL, tournant la poudre dans le verre d'eau : *Et il tourna... tourna... puis il but... et, cinq minutes après, le docteur ben Papavert balayait ses cendres qui gênaient les dames pour polker.*

Il porte le verre à ses lèvres.

ALEXANDRA, jetant un grand cri : *Non ! arrête !... je te pardonne...* (III, 16).

Naturellement, la poudre était du sucre, et le ménage Faribol est raccommodé. Le « passage à l'acte » de Faribol, désamorcé par la référence exotique et le travestissement du narrateur, est bien trop théâtral pour inquiéter. Et Labiche, non content d'avoir déguisé en polichinelles, « sans rapport avec des personnes existantes », ses rages destructrices, conclut par la plus lénifiante des platitudes :

> « *Maris, trahir sa femme...*
> « *Femmes, trahir vos maris...*
> « *C'est une chose infâme !*
> « *Surtout quand on est pris.* »

VI

LE FILS DE JOCASTE

Avec *Si jamais je te pince,* Labiche a redonné
— et pour longtemps — leur rôle traditionnel aux
couplets, qu'il négligeait souvent dans les œuvres
précédentes et dont le ton caricaturalement conven-
tionnel a un effet de « distanciation » à rebours, la
convention rappelant à propos qu'il s'agit de théâtre,
c'est-à-dire du contraire de la réalité. Il est plus que
jamais nécessaire, en effet, de sauvegarder l'impres-
sion d'irréalité, puisque la mésaventure de Faribol,
contrairement à celle de Fadinard, a un point de
départ totalement plausible : si les chevaux mangent
rarement des chapeaux de paille au bois de Vincennes, les maris offrent quotidiennement des repas fins
à leurs maîtresses, et risquent quotidiennement d'être
pris en flagrant délit. Seule la mécanique des coïncidences et l'utilisation des couplets, procédés spécifi-
ques du vaudeville, empêchent les situations de devenir choquantes par leur fondamentale vraisemblance...
La jalousie, mobile des crimes passionnels évités de
justesse ou cocassement perpétrés, ne peut se montrer
que travestie ; et quand Labiche nomme les fantômes
persécuteurs dont elle réveille le souvenir c'est pour
mieux les exorciser. Ainsi les fantaisies les plus inquiétantes deviennent farces bon-enfant. Le mythe d'Œdipe, dans *Mesdames de Montenfriche* — où Montenfriche soupçonne Fluteville d'avoir séduit sa première
femme — est évoqué comme un malentendu familial
aussi gaulois que regrettable :

— *La destinée... la fatale destinée... celle qui poussa Œdipe...*
— *Le fils de Jocaste ?*
— *Il la croyait demoiselle...* (II, 6).

Fuyant les conflits entre quatre murs, où les contorsions bouffonnes n'empêchent pas toujours l'angoisse d'affleurer, Labiche entraîne de nouveau ses créatures dans des voyages riches en péripéties. Plus aventureux qu'Alexandra, Montenfriche va poursuivre jusqu'en Espagne Fluteville, rencontré par hasard à l'Hôtel des Ventes où il marchandait les autographes (en français) de Don Quichotte et de Mahomet. C'est dans le « pays du Cid » que vont finalement s'affronter les deux hommes, selon la coutume tout espagnole du « duel aux tonneaux », ainsi décrit par l'aubergiste : on dispose deux tonneaux, « *le mari monte dans l'un... l'amant dans l'autre... chacun prend son couteau... et on s'explique* » (III, 7). En l'occurrence, les deux combattants pensent avant tout à garder la vie sauve, saisis d'une frayeur commune aux évocations sanglantes de l'Espagnol (« *Celui de vous deux qui restera aura l'obligeance de sonner... afin que je desserve* »). Et ils trouvent *in extremis* une bonne raison de ne pas s'entretuer pour la défunte Séraphine :

MONTENFRICHE : *Non !... il y aura toujours entre nous un abîme... qui s'appelle Séraphine.*

FLUTEVILLE : *Oh ! il y a si longtemps !... ça remonte à 1846 !*

MONTENFRICHE : *46 !... Mais je ne l'ai épousée qu'en 47 !...*

FLUTEVILLE : *Eh bien ! alors, qu'est-ce que vous me voulez ?... qu'est-ce que vous demandez ?... C'est vous qui m'avez fait...*

MONTENFRICHE : *C'est juste !... je te dois des excuses !* (Lui ouvrant ses bras :) *Embrassons-nous, Fluteville !* (III, 10).

79

Mais on ne se débarrasse pas si facilement d'une femme, d'une morte, fût-elle reléguée dans un « trou de mémoire ». Mistingue et Lenglumé l'apprennent à leurs dépens, qui revivent, en « un acte mêlé de couplets », *L'Affaire de la rue de Lourcine*.

Ancien élève de l'Institution Labadens, le rentier Lenglumé s'est rendu, contre la volonté de sa maîtresse femme Norine, au banquet annuel de l'établissement. Il y a retrouvé Mistingue, ancien condisciple, qu'il s'étonne au matin de voir couché dans son lit. C'est que le dîner a été copieux et tous deux, Mistingue à partir du turbot, Lenglumé après la salade, se trouvèrent « *dans les brindezingues* » au point de n'avoir aucun souvenir de leur emploi du temps :

MISTINGUE : *Qu'avons-nous fait pendant ce laps ?*
LENGLUMÉ : *On ne le saura jamais. Tout ce que je sais, c'est que j'ai perdu mon parapluie... surmonté d'une tête de singe* (scène 4).

Un parapluie perdu et, dans la poche de Lenglumé, des noyaux de cerises, dans celle de Mistingue des noyaux de prunes... Mais bah, « *qui est-ce qui n'a pas son petit noyau ici-bas ?* » (scène 4).

C'est alors que, parcourant les faits divers d'un journal qu'ils savent vieux de vingt ans — (« *les chiens écrasés, ça n'a pas de date !* »), scène 7 —, ils découvrent le récit d'un crime : le meurtre sadique d'une charbonnière. Et voilà que tout concorde : les deux compères ont les mains noires, on a trouvé sur les lieux du crime un parapluie surmonté d'une tête de singe ; il s'avère que Lenglumé transporte dans sa poche un mystérieux bonnet de femme, et Mistingue un soulier. Pas d'autre issue que la fuite : « *Je cours à la préfecture demander un passeport... et, dans un quart d'heure, je serai en Amérique* », assure Lenglumé (scène 11). On pourrait aussi soudoyer le cousin Potard qui survient à point nommé, semble au courant de quelque chose et, par hasard, demande à emprunter un peu d'argent. Mais si Potard parlait tout de même... ainsi que Justin, le domestique, qui a vu le bonnet et le soulier ?... Reste à éliminer ces deux témoins possibles : Lenglumé étrangle Justin dans l'obscurité, enferme Potard dans la pièce voisine avec un réchaud à charbon. Mais Lenglumé ne peut-il pas dénoncer Mistingue, et Mistingue Lenglumé ? L'un s'arme d'une bûche, l'autre d'une grande cuiller... Comme le journal leur tombe à nouveau sous les yeux, le souvenir leur revient que le crime relaté remonte à vingt ans. Il n'est que temps d'aller sauver Potard de l'asphyxie ; quant à Justin, ce n'est pas lui mais le chat qui a été étranglé (il y a seulement « *chatricide* »). Mistingue, pourtant, complice de la beuverie, est de trop : profitant de ce qu'il s'est rendormi, Lenglumé le fait porter comme un paquet à la gare, « *au bureau des marchandises* ». L'ordre est rétabli chez les Lenglumé, on va célébrer le baptême du dernier-né de Potard, et l'autorité de Norine saura tenir à distance les jeunes charbonnières trop évocatrices.

Assombrie un instant par les fantasmes de Lenglumé, la scène s'éclaire, et l'inquiétude fait place aux gaietés bien françaises des *Noces de Bouchencœur.* Deux noces au lieu d'une : le rentier Bouchencœur, malgré son grand âge, épouse la rosière d'Argenteuil, Cocotte ; Grandcassis, employé au gaz, épouse Arthémise, veuve Mouchette. Tandis que Bouchencœur détaille les charmes innocents de sa promise, Grandcassis, tel Trébuchard des *Suites d'un premier lit,* expose tristement les circonstances qui l'amènent dans le lit de la pâtissière :

GRANDCASSIS : *Je pourrais avoir soixante mille livres de rente... mais je ne les ai pas... je suis employé au gaz... je gagne quarante-neuf francs par mois...*

BOUCHENCŒUR : *C'est sec !*

GRANDCASSIS : *Sur lesquels l'administration a la bonté de nous retenir cent sous pour nous faire une pension de retraite...*

BOUCHENCŒUR : *Ah ! c'est très bien !...*

GRANDCASSIS : *Qui commence à courir le 1er janvier 1984.*

BOUCHENCŒUR : *1984 !... Vous n'y serez plus !...*

GRANDCASSIS : *C'est l'observation que j'ai faite ; mais on m'a répondu : « Alors vous n'aurez plus besoin de rien !... »*

BOUCHENCŒUR : *Bigre ! ils sont forts dans le gaz !*

GRANDCASSIS : *Monsieur, j'ai un défaut... je dirai plus, j'ai un vice !... J'aime les petites brioches à un sou, toutes chaudes !...*

BOUCHENCŒUR : *Moi, ce sont les prunes à l'eau-de-vie !... Il n'y a pas de mal à ça !*

GRANDCASSIS : *Attendez la suite... Chaque matin, en me rendant au gaz... je m'arrêtais dans une petite boutique, aux abords de la porte Saint-Denis...*

BOUCHENCŒUR : *Connu !...*

GRANDCASSIS : *Je donnais mon sou, j'avalais ma brioche... c'était réglé !... Mais voilà qu'un jour... je fouille à ma poche... c'était le 31 du mois...*

BOUCHENCŒUR : *Aïe !...*

GRANDCASSIS : *Pas un radis !...*

BOUCHENCŒUR : *Oui, le 31 n'est généralement pas la Saint-Radis ; ça me rappelle qu'un jour en omnibus...*

GRANDCASSIS, l'interrompant : *Ça m'est égal !... la marchande, une forte brune... pas jeune... me dit d'un petit air mielleux : « Monsieur, vous êtes une pratique... ne payez qu'à la semaine... »*

BOUCHENCŒUR : *Ah ! c'est une brave femme !...*

GRANDCASSIS : *Attendez la suite. Bientôt je pris au mois, puis au trimestre, puis au semestre... Je régalai tout le monde... les passants... les imbéciles... Je vous aurais rencontré...*

BOUCHENCŒUR, touché : *Oh !... cher ami !...*

GRANDCASSIS : *Au bout de trois ans... la veuve Mouchette... ma pâtissière...*

BOUCHENCŒUR : *Joli nom !...*

GRANDCASSIS : *Me fit entrer dans son arrière-boutique et me déroula une petite note de vingt-quatre mille six cent vingt-trois brioches...*

BOUCHENCŒUR : *Sans boire !*

GRANDCASSIS : *Total : douze cent trente et un francs, quinze centimes.*

BOUCHENCŒUR : *Nom d'une pâtissière !*

GRANDCASSIS : *Je lui avouai ma débine en me jetant à ses genoux... elle ne me releva pas... au contraire !*

BOUCHENCŒUR : *Ventre Saint-Gris !...*

GRANDCASSIS : *Elle passa sa grosse main dans ma chevelure... et me dit : « Monsieur Grandcassis... je ne vous le cacherai pas, j'ai un sentiment pour vous depuis votre première brioche... Je suis veuve, accepteriez-vous ma main ? »* (I, 3).

Lorsque, fuyant la passion de sa mère nourricière, Grandcassis entreprendra de conquérir Cocotte, il se conduira comme un classique séducteur et plus rien n'apparaîtra de sa condition d'employé besogneux, comme si l'affirmation de sa virilité l'arrachait au monde des brioches et du besoin. Cocotte séduite, une erreur du secrétaire de mairie permettra de régulariser la situation de manière satisfaisante : le vieux Bouchencœur aura pour femme la vieille Arthémise (« *C'est plus moral... mais c'est moins drôle... ça n'est même pas drôle du tout !* », soupire Bouchencœur, III, 13), et Grandcassis possèdera Cocotte en tout bien tout honneur.

Considérées comme un « remake » du *Chapeau de paille* et accueillies avec enthousiasme, *Les Noces de Bouchencœur* répètent effectivement celles de Fadinard. Mais Nonancourt et son myrte symbolique ont fait place à un Bouchencœur lubrique, qui prend

« un bain de myrte » en guise d'aphrodisiaque ; le public est introduit dans les chambres conjugales, où les tentatives amoureuses de Grandcassis donnent lieu à une scène banalement grivoise, celles de Bouchencœur à l'étalage gênant des inquiétudes du vieil homme aux prises avec sa perruque et son maquillage ; l'atmosphère, enfin, devient physiquement étouffante lorsqu'Arthémise, désespérée par l'abandon de Grandcassis, tente de s'asphyxier et manque d'asphyxier toute la noce, au moyen d'un réchaud à charbon. L'empoisonnement à l'oxyde de carbone, envisagé un instant par Lenglumé pour réduire au silence le témoin de son crime, repris ici comme moyen de suicide, n'était pas apparu depuis la lointaine *Clef des champs* et l'agonie commune de la mère et du fils. Nourriture et poison associés : Grandcassis avait bien raison de redouter la veuve Mouchette, et les douceurs traîtresses de la maternité.

Plus favorisé que Grandcassis, Picquefeu, clerc d'avoué, en épousant la jeune veuve de son patron Montgicourt, s'apprêtait gaillardement à prendre la succession. Mais la belle Olympia, non seulement traite son nouvel époux comme un vulgaire employé à qui elle refuse la clef de la caisse (« *Elle me donne ma semaine !... Envoyez-moi tout de suite en demi-pension... avec un petit panier* », scène 17), mais lui interdit l'entrée de sa chambre. Bien plus, avec l'aide de son valet Amédée, elle entretient le culte du mort : Amédée chaque jour doit brosser ses habits, cirer ses souliers, lui « *monter de l'eau chaude pour sa barbe* » (scène 5), et épousseter son portrait qui trône dans le salon (*Le Clou aux maris*). Seul face au portrait, Picquefeu fanfaronne :

« *Tiens !... voilà le patron !... Bonjour, patron !... vous savez que vous n'allez pas rester là !... c'est ma place !* (À lui-même :) *Ça me gênerait de l'avoir sur le dos... quand j'embrasserai sa femme... c'est-à-dire ma femme ; il aurait l'air de me dire :* « *Je l'ai*

84

embrassée avant toi !... » C'est désagréable ! je lui trouverai un petit coin... noir ! seulement je garderai son cadre... pour me mettre dedans ! (S'adressant au portrait :) *Tu ne tiens pas à ton cadre, n'est-ce pas ?... Très bien, il est brave homme !... tu es brave homme !* » (scène 4).

La froideur d'Olympia ne tarde pas à lui enlever son assurance. Le hasard aidant, il pourra venir à bout d'Olympia en lui prouvant une hypothétique infidélité de Montgicourt. Mais il découvrira alors une Olympia furieusement possessive, et ne sera pas fâché de réintroduire entre elle et lui le fantôme de son prédécesseur...

Plutôt « blaguer papa », comme le dit Bouchencœur dans un bref moment de colère, que d'affronter une imprévisible maman. Et pourquoi, même, ne pas imaginer un papa bon enfant, prêchant l'insouciance à un fils trop prévoyant ? Tel est le cas d'Arthur Potfleury, à qui son fils Octave, *L'Avare en gants jaunes,* n'inspire que mépris. Arthur dilapide gaiement sa fortune avec des grisettes ; Octave, non content de refuser un repas à sa maîtresse et d'inventorier la dot de sa fiancée Miranda avant même de savoir si la jeune fille est blonde ou brune, s'est carrément fait usurier. Arthur, indigné par tant de bassesse, fera manquer le mariage d'Octave, jettera Miranda dans les bras d'un beau garçon désargenté, et épousera l'appétissante veuve de Boisrosé...

Non seulement *L'Avare en gants jaunes,* inversant la situation habituelle, assure le triomphe du père, mais Labiche, nostalgique de la grande comédie, emprunte à Molière ses schémas pour quelques scènes, notamment celle où s'affrontent les deux hommes, détenteurs chacun d'une morale :

OCTAVE : *Au lieu de dîner tranquillement à cinq heures... de vous coucher à neuf... de placer une partie de vos revenus... comme font tous les pères...*

85

POTFLEURY, à part : *Je te vois venir !*

OCTAVE : *Vous entamez votre capital... pour courir les soupers, les bals masqués... Tenez ! vous finirez sans un sou dans la poche, malade, ruiné, perclus !... et, quand on demandera : « Monsieur Potfleury, qu'est-ce qu'il faisait ? — Lui ? rien ! il soupait ! »*

POTFLEURY : *Ah ! tu me tires mon horoscope ! A mon tour !... Toi, tu seras riche, énormément riche ! à force d'empiler les liards sur les sous et les sous sur les liards ; tu auras voiture... parce que ça se voit !... mais tes chevaux seront poussifs, tu mesureras leur foin, tu pèseras leur paille et tu leur souhaiteras de l'avoine ! (Octave nettoie ses gants avec un morceau d'élastique.) Tes domestiques auront de belles livrées... parce que ça se voit ! mais, en rentrant, ils l'ôteront pour mettre tes vieux habits et manger tes vieilles pommes de terre !*

OCTAVE : *Ah ! je ris... je ris beaucoup !...*

POTFLEURY : *Tu porteras des gants paille... parce que ça se voit !... mais, quand on ne te regardera pas, tu les nettoieras dans un coin... comme dans ce moment !*

OCTAVE : *Papa !*

POTFLEURY : *Enfin, quand on se demandera : « Monsieur Potfleury fils, qu'est-ce qu'il faisait ?... — Lui ?... rien... il économisait ! »* (I, 7).

On n'est pas plus classique. Mais Labiche, tout à son désir de bâtir une intrigue solide que ne vienne pas saper quelque fantôme féminin, n'a pas pris garde que le sujet tabou, au temps de Louis-Napoléon, est la propriété, et que si la bourgeoisie s'est donné un père, c'est pour qu'il prenne la responsabilité des hardiesses rentables et assure, inchangé ou en légère progression, le revenu de chacun. Que la dissipation de Potfleury évoque les dépenses et les mascarades de la Cour, ou simplement la désinvolture de chefs de famille trop facilement rassurés par quelques années de stabilité financière, un tel gaspillage est bien plus angoissant que la lubricité d'un vieillard, le meurtre d'une charbonnière, les exigences amoureuses d'une pâtissière sur le retour, ou un ménage à trois dont le « tiers » est un mort. Les avatars de la sexualité peuvent s'interpréter en termes de sentiment. La défaillance financière ne pardonne pas.

A ceux qui refusent sa morale — et font de *L'Avare en gants jaunes* un échec commercial, tout aussi insupportable à Labiche qu'il le serait à ses clients — le « Molière » du Palais-Royal va donner, rageusement, une comédie fort immorale où le sexe, cette fois, joue un rôle déterminant. Et, comble de l'inconscience, ce n'est pas au Palais-Royal, mais aux Variétés qu'il présente la plus hardie — sinon la meilleure — de ses pièces.

Alidor de Boismouchy, héros de *Deux merles blancs*, a eu une enfance maladive (« *à l'âge de huit ans, il n'avait que la peau et les os... un vrai clou ! c'est au point que, dans le bain, il rouillait son eau !* » I, 3) et sa mère, veuve, l'a amené dans un château breton. Elle a chargé l'instituteur Mouillebec, célibataire parfaitement chaste, de l'éducation d'Alidor. Mais le jeune marquis préférant les courses en pleins champs, puis la chasse, à l'étude des vers latins, Mouillebec vient chaque jour, depuis des années, « Cornelius Nepos » sous le bras, se réciter à lui-même, moyennant un cachet confortable, les leçons destinées à l'élève absent. Le moment venu de marier Alidor, Monsieur de Montdésir, futur beau-père, s'inquiète de savoir le jeune homme innocent (« *C'est un lis !* », assure Mouillebec) : mieux vaut, selon Montdésir, « marivauder » avant qu'après le mariage. Il décide Madame de Boismouchy à envoyer Alidor, chaperonné par Mouillebec, dans la capitale, pour qu'il y apprenne la fréquentation des femmes (légères, s'entend). Alidor et Mouillebec, introduits chez Rosa, se croient dans le grand monde. Alidor ne comprend pas les avances de Rosa, ni Mouillebec celles de sa « gouvernante » Madame Taupin. Rosa est d'autre part entretenue par l'Américain Track, qui possède « *des bateaux à vapeur, des nègres, des cannes à sucre, des forêts vierges* » mais se montre d'une jalousie « *à faire rougir Othello, si sa couleur le lui permettait* » (II, 5). Comme Track a découvert chez Rosa un chapeau inconnu, il se met en devoir d'en trouver le propriétaire, qu'il décide de poursuivre jusqu'en Amérique. En fait, le voyage s'arrête à Trouville où Alidor, amoureux fou de Rosa mais incapable de l'embrasser de peur de « *profaner son idole* », fait fonction de cuisinier. Il pense d'ailleurs l'amour en termes de cuisine, rêvant d'empoisonner Track, volant les vieux gants de Rosa dont il veut faire une « *fricassée* ». Monsieur de Montdésir, anxieux de récupérer son futur gendre, survient déguisé en « nègre ». Il reçoit les coups que Track n'osait donner aux Européens. Mais Track découvre la supercherie de Montdésir et constate que le mystérieux chapeau appartient — ou du moins « va » — au gentilhomme. Furibond, il veut le tuer. Rosa parvient à éloigner l'Américain. C'est alors que Mouillebec et Alidor découvrent leur propre désir pour Rosa et sa gouvernante. Tout finirait bien pour les amoureux si Track ne revenait à l'improviste et ne décidait Rosa à le suivre en Amérique pour la plus grande joie de Montdésir. Madame Taupin reste avec Mouillebec, mais l'infortuné Alidor va retrouver sa fiancée sans avoir connu de Rosa autre chose que la peau « douce », douce comme « *une peau de lapin* ».

Avec Track est revenu le personnage qu'annonçait, à peine ébauché, l'Anglais vorace de *La Chasse aux corbeaux*. Le bourgeois français, incapable de reconnaître sa propre sauvagerie possessive, se plaît à la projeter sur l'étranger peu évolué, prêt à risquer par amusement sa fortune et la vie des autres. Voici comment Track décrit à Rosa le pays où il aimerait l'emmener et la garder pour lui seul :

TRACK : *Nous serions si heureux... si tranquilles... sur les bords du Mississipi !*

ROSA : *Ça existe donc ?*

TRACK : *Je crois bien !... un fleuve immense... avec des bateaux à vapeur... qui sautent en l'air... ça distrait ! On fait des paris sur les gens qui se noient ! cent dollars qu'il se noiera !... deux cents qu'il ne se noiera pas !... voilà un pays !* (II, 5).

Alidor qu'effraye l'approche d'une femme, attribue à Track la barbarie inséparable selon lui des rapports sexuels, jusqu'au moment où, Track disparu, il peut reconnaître pour sienne la fureur amoureuse de l'étranger. Interdicteur fascinant, Track a pris pour le jeune innocent la place de sa mère et de l'instituteur. Et Labiche s'identifie si bien à cet Emile Bèche oublieux, qu'il oublie lui-même de faire reparaître Madame de Boismouchy, dont les pouvoirs sont délégués à Montdésir devenu « nègre »...

A l'instar de Track, qui dans ses crises de jalousie casse meubles et potiches, Labiche, avec *Deux merles blancs,* malmène furieusement les principes moraux de ses concitoyens, et aussi sa propre aspiration à la littérature édifiante. Mais il ne suffit pas de bafouer le public pour l'obliger à payer : les douteuses audaces de *Deux merles blancs,* et sans doute leur construction hâtive, déplaisent plus encore que la morale souriante de *L'Avare en gants jaunes.* Labiche pourtant ne désarme pas, et présente une œuvre plus négligée encore, et plus subversive : avec *Le Grain de café,* quittant le monde des mères menaçantes il s'en prend à celui des nourrices. L'interminable et abracadabrante histoire qu'il conte de nourrissons échangés, perdus, volés, et de paternités contestées, est trop laborieuse pour amuser. Mais le premier acte, où la patronne d'un bureau de placement offre à des pères équivoques les nourrices (Auvergnates, Percheronnes, et même une négresse incasable) comme une sous-maîtresse ferait de ses pensionnaires, a de quoi scandaliser les honnêtes ménages.

Labiche, plus que jamais intolérant à l'insuccès, s'en prend non seulement au public, mais aux acteurs du Palais-Royal. Le théâtre que peu avant, le jugeant vulgaire, il eût aimé renier au profit de la Comédie-Française, lui paraît maintenant trop compassé : « *Ce théâtre est sur une mauvaise pente, il ne peut vivre que par la drôlerie et les grands farceurs sont partis, et les metteurs en scène sont sérieux comme des notaires. Ils ont toujours l'air de monter un testament* [1]. » Ce mépris des notaires, peu compatible en apparence avec le sérieux dont fait preuve l'auteur du *Grain de café* dans la gestion de ses biens, témoigne d'une révolte, aussi violente que momentanée, contre l'ordre social autant que contre les interdits familiaux. Déjà *L'Avare en gants jaunes* fustigeait le goût de l'épargne ; dans *Le Grain de café,* c'est la « société » elle-même qui est tournée en dérision : Plantureux, paysan venu vendre sa femme à la foire aux nourrices, conclut ses maquignonnages par une déclaration de principe : « *Vous savez, les usages... faut pas y toucher... c'est les pierres de taille de la société !* » Et l'un des pères en quête de nourrice approuve, en aparté : « *Il a raison... n'ébranlons pas la société !* » (I, 10).

Mais les fureurs anarchisantes déchaînées par une déception financière se calment vite et, renonçant sagement à réaliser l'impossible synthèse entre son respect des classiques et sa tendance grandissante au laisser-aller, Labiche revient à la formule qu'il a si bien su mettre au point, celle du « vaudeville-cauchemar ». Les cauchemars, il est vrai, du moins les plus convaincants, sont « en un acte ». L'exemple

1. Lettre à Alphonse Leveaux, novembre 1858.

le plus parfait en est incontestablement *Madame est aux eaux.*

Madame est aux eaux marque un léger recul de la misogynie, en ce sens que la femme — ni mère émolliente ni cocotte — y est réhabilitée en tant qu'épouse. Plus exactement, sa présence au foyer apparaît nécessaire. Non seulement la pièce fut écrite sur commande — c'est le cas de la plupart — mais elle est le résultat du travail de Labiche sur une œuvre de Philippe de Marville, *Entre l'amour et l'honneur,* refusée par le Gymnase. Il s'agissait d'un mélodrame rocambolesque dont l'action se traînait sur quelques années, racontant les tourments d'un mari qui a chassé sa femme soupçonnée d'infidélité, et, la retrouvant misérable, apprend son innocence et en fait à nouveau sa compagne. Labiche, ainsi qu'en témoigne sa correspondance, décide de ne garder de tout cela que les tourments d'un « cocu sombre », avide de retrouver la femme répudiée pour échapper aux désagréments d'une maison mal tenue, d'une cuisine mal faite, et de repas pris sans vis-à-vis. *Entre l'amour et l'honneur* faisait place à un personnage comique, mari éternellement trompé mais toujours prêt à reprendre une expérience nouvelle. Labiche en fait un « voisin » respectable et solidement installé dans une vie conjugale dont il dévoilera les vicissitudes.

L'affaire est menée rondement. Dandinet, médecin, et sa femme, Amélie, rentrent du bal — à Nancy — au petit matin. Ils se querellent : Amélie aurait, selon Dandinet, dansé trop souvent avec des dragons, prétextant qu'elle est sœur de dragon. Amélie se défend, puis sort, et Dandinet découvre un billet doux, vraisemblablement adressé à Amélie, d'où il ressort qu'un dragon n'attend pour monter que le signal donné par quelques notes de piano. Dandinet joue les quelques notes et entend aussitôt quelqu'un grimper le long du mur. Il court à la fenêtre, armé de son sabre qu'il plonge dans l'obscurité ; et il ramène, piquée au sabre, la pièce à conviction : un chapeau de dragon. Il appelle Amélie, la somme de s'expliquer et, comme elle menace de partir, la prend au mot. Le voilà seul, qui s'installe dans sa condition de veuf. Agathe, la femme de chambre, instantanément avertie, surgit et entreprend une campagne de séduction. Bastien, le valet, accourt, réprobateur : toute la ville en parle, et parle aussi des mauvais traitements infligés à la pauvre Madame Dandinet. Scandalisé par ces nouvelles, et aussi par l'inconduite notoire de Dandinet et d'Agathe, Bastien donne ses huit jours. Arrive soudain, sortie de pension depuis la veille, annonce-t-elle à son père éberlué, la jeune Hélène Dandinet, qui réclame sa mère. Le voisin Ducastel, enfin, qui vient vanter les mérites de son neveu, éventuel fiancé d'Hélène, s'étonne de ne pas trouver Amélie : elle est « aux eaux », balbutie Dandinet. Mais la bonne société nancéenne se manifeste tout entière en faisant savoir à Dandinet, par des lettres glaciales, qu'il est désormais exclu des réceptions. Pendant ce temps Agathe, installée en maîtresse de maison, prend en mains l'éducation d'Hélène, qu'elle affuble en fille de mauvaise vie. Cette fois intervient Roland, le dragon, qui provoque Dandinet en duel pour sauver l'honneur de sa sœur Amélie (« *car enfin voilà une femme qui n'est ni fille, ni veuve, ni mariée* », scène 12), en la rendant veuve. Dandinet s'affole, accepte le combat, en revient avec une égratignure, poursuivi par Roland qui entend bien recommencer. Amélie reparaît alors, pressée de reprendre sa fille pervertie par Agathe. Dandinet, qui n'en peut plus, conte enfin à Roland l'épisode du chapeau et tout s'éclaire : ce chapeau était précisément celui de Roland, qui montait rendre visite à sa maîtresse Madame Ducastel. Dandinet rasséréné reprend sa femme et commente gaillardement l'infortune du voisin.

Commencée par une banale scène de jalousie, qui

prend au théâtre le même temps qu'elle prendrait dans la réalité, la pièce se précipite, montrant en quelques minutes une succession de situations dont chacune apparaît comme l'aboutissement d'une longue évolution. De même que dans les rêves, et que dans *Un chapeau,* la simple évocation d'un différend réel a entraîné, à un rythme qui s'accélère, la vision d'un avenir à l'image de quelque roman vécu ou imaginé autrefois, et qui se réécrit en un clin d'œil, ravivé par la représentation en raccourci de quelques éléments privilégiés. Dandinet, anxieux à l'idée d'une trahison possible et rêvant de chasser sa femme, vit la solitude d'abord dans le plaisir, puis dans le cauchemar, jusqu'au moment où s'opère dans sa tête le déplacement libérateur : c'est Ducastel qui est cocu, l'amour et l'honneur sont saufs.

Mais la réussite facile de *Madame est aux eaux* n'apaise que provisoirement l'insatisfaction de Labiche ; non content de ces représentations-éclair, il s'obstine à les lier dans une œuvre digne des « grands » théâtres. Tiraillé toujours entre le désir de se montrer à travers personnages et situations de caricature et celui de plaider une noble cause, incapable encore de concilier les deux réalisations, il opte pour le sermon. Et c'est l'ennuyeux *Baron de Fourchevif,* bourgeois gentilhomme sans la fantaisie, Prudhomme sans la grandeur ubuesque de celui qu'a immortalisé Henri Monnier, et qui conclut platement : « *Vois-tu, ma femme, la noblesse est une belle chose... mais il faut être né là-dedans... Nous sommes bourgeois... restons bourgeois !* » (scène 20). A quoi Madame de Fourchevif rétorque, joyeuse : « *Allons faire notre lessive* ». Quant aux *Petites mains,* gauche imitation du *Gendre de Monsieur Poirier* et réhabilitation du noble désargenté qui épouse les héritières bourgeoises, on pourrait en attribuer la composition à n'importe quel auteur oublié, tant le langage en est dépourvu de vigueur théâtrale.

93

Labiche, cependant, oublie volontiers ses déboires de moraliste en fournissant au Palais-Royal — où triomphent des farces plus ou moins inspirées d'*Un chapeau,* telle *La Mariée du Mardi-Gras,* de Grangé et Lambert-Thiboust — quelques bouffonneries prouvant par leur dynamisme que, comme il est dit dans *La Clef des champs,* « *d'une manière ou d'une autre, il faut toujours que le diable trouve son compte ; il y a une portion de l'homme qui est à lui* » (chap. I).

Le diable, dans *Voyage autour de ma marmite,* est le désir éperdu qu'inspire au dentiste Alzéador sa cuisinière Prudence en l'absence de son épouse. Alzéador, hors de lui, évince le valet Jésabel amoureux de Prudence, élit domicile dans la cuisine où il hache les épinards, serre de près la cuisinière, arrache par mégarde les dents d'un client égaré, risque la ruine et le déshonneur, sinon la folie... jusqu'au moment où le retour de sa femme lui fait découvrir que Prudence « sent l'oignon », et où ses farouches aspirations sexuelles s'apaisent de nouveau dans le lit conjugal. L'action galope autant que celle de *Madame est aux eaux,* mettant à chaque instant la marmite en danger d'exploser, la maison en danger de crouler. Et le public, sans doute, se fût inquiété ou offusqué à la vue du conflit qui oppose Alzéador à son valet — ce Jésabel fou furieux de jalousie, qui pourrait tuer le maître mais n'est pas en mesure de lui parler — s'il n'était escamoté et entraîné dans un flot de « gags » hilarants. Développée en trois actes, l'intrigue de *Voyage autour de ma marmite* aurait les violences de *La Règle du jeu ;* telle quelle, elle laisse seulement apercevoir le trop-plein d'énergie irrévérencieuse que Labiche va enfin apprendre à canaliser dans le tiède *Voyage de Monsieur Perrichon,* conciliant les exigences de la morale « juste milieu » et celles d'une fantaisie raisonnable et asexuée.

VII

LA MÈRE DE GLACE

Monsieur Perrichon, carrossier retiré des affaires, et qui donne à sa fille Henriette pour la distraire en voyage « *un livre qui ne parle ni de galanterie, ni d'argent, ni de politique, ni de mariage, ni de mort* » (I, 9), pourrait faire sienne la fameuse devise de Prudhomme : « *Si Napoléon avait su rester simple lieutenant d'artillerie, il serait encore aujourd'hui sur le trône* ». Il prend quelques risques, pourtant, en allant visiter la « *Mère de Glace* » pour parfaire l'éducation d'Henriette. Celle-ci, que poursuivent jusqu'en Suisse deux amoureux dont elle épousera finalement le plus sincère, n'a guère d'existence et guère de féminité. D'où la possibilité, rappelée avec éloge par John Lemoine « recevant » Labiche à l'Académie, de représentations scolaires sans danger, où « *la fille de Monsieur Perrichon est vertueusement remplacée par un fonds de carrosserie que deux compétiteurs poursuivent à travers les montagnes de la Suisse. Sauf cette légère différence, les passions sont les mêmes* »... Les deux compétiteurs, au surplus, s'entendent à merveille et envisagent parfois de rester ensemble, abandonnant la conquête d'Henriette. C'est, en fin de compte, une fois de plus entre le beau-père et les éventuels gendres que surviennent les caprices d'une intrigue amoureuse. Plus que d'amour, il s'agit de domination et Perrichon le sait bien qui, parodiant selon la mode du jour le « récit de Théramène », se réjouit d'avoir assujetti Daniel en le sauvant d'un accident :

Daniel : *Sans le courage de Monsieur Perrichon...*

Perrichon, vivement : *Non, pas vous ! ne parlez pas !...* (Racontant :) *C'est horrible ! Nous étions sur la mer de Glace... Le mont Blanc nous regardait, tranquille et majestueux...*

Daniel, à part : *Le récit de Théramène !*

Madame Perrichon : *Mais dépêche-toi donc !*

Henriette : *Mon père !*

Perrichon : *Un instant, que diable ! Depuis cinq minutes, nous suivions tout pensifs un sentier abrupt qui serpentait entre deux crevasses... de glace ! Je marchais le premier...*

Madame Perrichon : *Quelle imprudence !*

Perrichon : *Tout à coup, j'entends derrière moi comme un éboulement ; je me retourne : Monsieur venait de disparaître dans un de ces abîmes sans fond dont la vue seule fait frissonner...*

Madame Perrichon, impatiente : *Mon ami...*

Perrichon : *Alors, n'écoutant que mon courage, moi, père de famille, je m'élance...*

Madame Perrichon et Henriette : *Ciel !*

Perrichon : *Sur le bord du précipice, je lui tends mon bâton ferré... Il s'y cramponne. Je tire... il tire... nous tirons, et, après une lutte insensée, je l'arrache au néant et je le ramène à la face du soleil, notre père à tous !...*

Il s'essuie le front avec son mouchoir.

Henriette : *Oh ! papa !*

Madame Perrichon : *Mon ami !*

Perrichon, embrassant sa femme et sa fille : *Oui, mes enfants, c'est une belle page...*

Armand, à Daniel : *Comment vous trouvez-vous ?*

Daniel, bas : *Très bien ! ne vous inquiétez pas !* (Il se lève.) *Monsieur Perrichon, vous venez de rendre un fils à sa mère...*

Perrichon, majestueusement : *C'est vrai !*

Daniel : *Un frère à sa sœur !*

Perrichon : *Et un homme à la société.*

DANIEL : *Les paroles sont impuissantes pour reconnaître un tel service.*

PERRICHON : *C'est vrai !*

DANIEL : *Il n'y a que le cœur... entendez-vous, le cœur !*

PERRICHON : *Monsieur Daniel ! Non, laissez-moi vous appeler Daniel...*

DANIEL : *Comment donc !* (A part :) *Chacun son tour !*

PERRICHON, ému : *Daniel, mon ami, mon enfant !... votre main.* (Il lui prend la main.) *Je vous dois les plus douces émotions de ma vie... Sans moi, vous ne seriez qu'une masse informe et repoussante, ensevelie sous les frimas... Vous me devez tout, tout !* (Avec noblesse :) *Je ne l'oublierai jamais !* (II, 10).

Ayant ainsi « mis au monde » un gendre, Perrichon, contrairement aux Cravachon, Doublemard et autres Nonancourt, est suffisamment affirmé dans sa toute-puissance paternelle pour se détacher de sa fille en toute sérénité ; et Labiche, « créateur » de Perrichon, a rétabli avec son public une relation qui exclut les avatars passionnels : le bourgeois, pris comme objet d'étude et représentant de l'homme éternel, va jouer entre la scène et la salle le rôle de tiers conciliateur, garant d'équilibre. A explorer le terrain bourbeux où se vautrent nourrices et nourrissons, Labiche risquait de se trouver, tel Alidor de Boismouchy, « *piqué dans la vase et incorporé dans une botte de roseaux* » (I, 2). Perrichon l'a sauvé de l'enlisement et de la noyade.

C'est pourquoi peut-être le thème du sauvetage, moteur de *Perrichon,* va reparaître plus d'une fois dans la production labichienne de cette époque faste. Le sauvetage arrangera ou dérangera par son rappel les situations les plus compliquées ; et le récit du sauvetage, ostensiblement fallacieux et accumulant les poncifs, fera d'autant plus rire le public que les protagonistes prendront au sérieux une situation créée par le seul langage. Ainsi, dans *J'ai compromis ma femme,* où se catapultent à Bagnères-de-Bigorre des adultères passés, présents et à venir, Monnerville, réincarnation de l' « homme de paille » Cambiac, apparaissant aux yeux ébahis de Verdinet qui croyait l'avoir « inventé », justifie son existence en contant à Henriette Verdinet comment il a jadis sauvé son mari :

HENRIETTE : *Je vous dois mon mari, monsieur ?*
MONNERVILLE : *Oui, madame. Il y a trois ans, j'ai été assez heureux pour lui sauver la vie.*
VERDINET, à part : *Hein ?... qu'est-ce qu'il chante ?*
MONNERVILLE : *Il pêchait à la ligne... au bord de la Marne.*
MADAME DESAUBRAIS, riant : *Vous pêchez à la ligne ?*
VERDINET : *Moi ?*
HENRIETTE : *Tu ne m'avais jamais parlé de ce talent-là ! Oh ! que je voudrais donc te voir avec un grand bâton !*
Elle rit.
VERDINET, à part : *Il me rend ridicule, à présent.* (Haut :) *Je pêche... c'est-à-dire...*
MONNERVILLE, lui coupant la parole : *Il était sur un train de bois... comme ça... occupé à ne rien prendre... Tout à coup, le pied lui glisse, il disparaît...*
HENRIETTE ET MADAME DESAUBRAIS : *Ah ! Mon Dieu !*
VERDINET : *Mais non...*
MONNERVILLE : *Hein ?... Vous aviez disparu !... Moi, rêveur au pied d'un saule, je regardais couler l'eau. A la vue de ce malheureux qui se débattait dans l'abîme, je me précipite, je plonge, je le ramène !*
MADAME DESAUBRAIS ET HENRIETTE : *Ah !*
MONNERVILLE : *Il m'échappe !*
HENRIETTE ET MADAME DESAUBRAIS : *Ah ! Mon Dieu !*

MONNERVILLE : *Et redisparaît sous le train de bois... Il était perdu !*

VERDINET : *Mais...*

MONNERVILLE : *Vous étiez perdu ! Je replonge, je le ressaisis par un bras, je le ramène encore... Sa main crispée m'entrait dans les chairs... mais qu'importe ! je nage, je redouble d'efforts, j'arrive, enfin... il était sauvé !*

VERDINET, à part : *Ah ça, quelle histoire leur fait-il là ?*

HENRIETTE, à Monnerville : *Tant de courage ! tant d'abnégation !* (Lui tendant la main :) *Permettez-moi de serrer la main d'un ami...* (scène 11).

L'exploitation d'un nouveau ressort de comique n'exclut pas, avec et après *Perrichon,* une tendance moralisatrice propre à séduire le bourgeois. Perrichon cache sous ses ridicules une générosité réelle et une profonde connaissance du cœur humain : une fois découverte la ruse de Daniel, il sait rendre hommage à la loyauté d'Armand. Quant au commandant Mathieu, que le hasard mêle au voyage des Perrichon, il est certes ridicule dans son amour pour une gourgandine ruineuse, trop susceptible aussi puisqu'une simple impertinence lui semble mériter réparation par les armes ; il n'empêche que ce militaire sourcilleux se conduit en homme d'honneur qui refuse tout compromis. L'hommage ainsi rendu à l'armée, en un temps où se prépare la guerre du Mexique, ne peut que rapprocher de Labiche les émules du valeureux Perrichon. Comment n'apprécieraient-ils pas *Les Vivacités du capitaine Tic,* héroïque guerrier retour de Chine, où il a coupé les oreilles à plus d'un mandarin ? C'est bien sûr à l'irascible capitaine qu'iront les faveurs de sa cousine Lucile, malencontreusement promise à un grotesque « intellectuel », Célestin Magis. Mauvaise tête et bon cœur, Tic triomphe sans peine de Célestin, féru de statistiques, heureux de savoir « *le nombre*

*exact des veuves qui ont passé le Pont-Neuf pendant
le cours de l'année* 1860 » (I, 5). C'est au brave soldat qu'incombe la tâche de dénoncer les vices bourgeois de l'intellectuel : « *Prudhomme père et fils !* »,
s'écrie Tic entendant les rodomontades de Célestin.
Tic, en Chine, a été sauvé d'une mort atroce par son
subalterne Bernard, devenu son domestique. Et, si la
nostalgie des amitiés viriles et des « bottes secrètes »
faisait rire chez Cravachon, la liaison tendrement militaire qui unit Tic à Bernard inspire maintenant le
respect des civils, heureux de se sentir protégés par
une armée aussi unie, où amour et honneur font bon
ménage. Bernard, insulté par un coup de pied de
son maître, réclame en réparation un coup d'épée.
« *Et tu m'aimeras toujours ?* » demande Tic. « *Oh !
plus qu'auparavant !* » (I, 9) s'écrie Bernard. Ce noble
échange de brutalités permettra au capitaine d'être
tout douceur avec sa future femme, qui se donnera
le plaisir d'avoir apprivoisé un être indomptable et
résisté au charme efféminé du savant Célestin.

Les vantardises niaises des intellectuels ne sont que
l'un des faux-semblants auxquels se laisse prendre
l'honnête bourgeois, trop prompt à déprécier ses
solides vertus d'épargne et de modestie. Que les
Malingear et les Ratinois retrouvent le respect d'eux-
mêmes, cessent de se jeter ou de se laisser jeter de
La Poudre aux yeux, et leurs héritiers convoleront
pour le bien des deux familles. Les pères devront
savoir désormais qu'il ne faut pas rougir d'un brave
oncle Robert, resté bon enfant après fortune faite, ni
céder aux pressions d'épouses aussi frivoles qu'auto-
ritaires. Que les femmes prennent le pouvoir, et c'est
la catastrophe.

Les femmes, c'est-à-dire les mères... Et Madame
Bêche reparaît en Madame Désarnaux, prompte à
entraver son fils au moment où il tente *Le Premier
pas.* Madame Désarnaux apprend avec stupeur que
la mauvaise mine de Maurice, dix-neuf ans, pourrait

venir de ce que le médecin de famille appelle « sa crise ». La discussion de la vieille dame et du docteur Vouzon reproduit à peu de chose près celles qui opposaient Madame Bèche au docteur Millin. Madame Désarnaux a pourtant tout fait pour tenir Maurice à l'abri des tentations ; mais, dit Vouzon, « *quand l'heure a sonné...* »

MADAME DÉSARNAUX : *L'heure ! Quelle heure ?*

VOUZON : *C'est comme la coqueluche chez les enfants... Un peu plus tôt, un peu plus tard, il faut qu'elle arrive.*

MADAME DÉSARNAUX : *Non ! C'est impossible !... Une femme... une étrangère viendrait me prendre mon enfant ?*

VOUZON : *C'est épouvantable ! Voir ce petit cœur, qu'on a élevé pour soi, s'ouvrir tout à coup pour une autre...*

MADAME DÉSARNAUX : *Oh ! jamais !*

VOUZON : *Mais qu'y faire ? La nature est implacable...*

MADAME DÉSARNAUX : *La nature veut qu'on aime sa mère, monsieur...*

Et, un peu plus tard, à Maurice :
— *Tu n'aimes que moi ?... que moi seule ?* (S'attendrissant :) *Parce que, vois-tu, Maurice... si jamais tu me trompais... si jamais... Ah ! ce serait bien mal !* (scène 2).

Le résultat, pour Maurice, de cet amour maternel intempestif, est qu'au lieu d'aimer sa cousine, ou même une femme de chambre comme le suggère le docteur, il est saisi d'une « vilaine passion » : celle des spéculations financières, aussi modernes que dangereuses. Il risque à la Bourse son argent de poche et rêve de fonder « une société d'assurances mutuelles contre les expropriations » dues aux grands travaux. Car les audacieuses entreprises du baron Haussmann alimentent des rêveries parfois regrettables chez les jeunes gens qu'effrayent le travail quotidien et la procréation raisonnable.

Paul Tacarel, lui, a su s'insérer dans un Paris en construction : il est devenu architecte et prépare un mariage de tout repos avec Caroline Letrinquier. Il lui faut néanmoins, avant les noces, mener à bien l'intrigue commencée avec Aglaé Garambois. Heureusement, sa qualité d'architecte lui permet de s'introduire dans l'immeuble des Garambois et de surveiller les allées et venues du mari : *La Station Champbaudet* est un poste d'observation commode, mais non sans dangers. La veuve Champbaudet en effet a confié à Tacarel le soin de construire pour son mari défunt un monument funéraire digne et peu coûteux ; aussi l'architecte lui rend-il de quotidiennes visites, qu'elle prend pour des preuves d'amour. Tandis que Madame Champbaudet minaude, change de bonnet, prépare des collations, s'affole jusqu'à laisser voir sa natte de faux cheveux (« *quand nous serons mariés, je lui avouerai toutes mes petites annexions* », I, 8), Tacarel guette le départ de Garambois, souffle dans une petite trompette pour appeler Aglaé, et suppute ses chances d'être agréé comme gendre par les Letrinquier. Caroline Letrinquier est charmante, dont le père vante l'habileté pour la tapisserie et l'érudition historique (« *elle vous dirait tous les rois de France qui ont eu lieu... sans broncher !* », II, 4) ; mais, découvrant dans la poche de Tacarel la petite trompette utilisée pour Aglaé, et soupçonnant quelque liaison, Letrinquier enquête. Grâce au quiproquo que suscitent Garambois, précisément apparenté aux Letrinquier, et Arsène, ancien domestique de Madame Champbaudet que précisément les Letrinquier viennent d'engager, c'est Madame Chambaudet qui apparaît comme la maîtresse à « liquider ». Letrinquier s'indigne et signifie à Tacarel que « tout est rompu » (« *Ne soyez pas étonné de rencontrer en moi l'œil irrité*

d'un père... au lieu du front bienveillant d'un ami »,
II, 11). On trouve vite une solution : mettre
hors d'état de nuire Madame Champbaudet en la
mariant au vieil employé Durozoir. Madame Champbaudet, furieuse et désespérée d'apprendre que Tacarel s'est joué d'elle et veut en épouser une autre,
cèdera finalement au chantage de l'architecte, qui
menace, au cas où elle s'obstinerait dans son refus,
de partir se battre en Amérique (« *Je m'engage...
avec le Nord ou avec le Sud... ça m'est parfaitement
égal !* », III, 9). Et comme chacun des vieux fiancés
s'attriste de voir l'autre si vieux, Tacarel les rassure :
Ils paraissent « *comme cela le matin... à jeun ; mais
le soir [ils sont] splendides !* » (III, 5).

Fiancé coupable aux prises avec un beau-père intransigeant, vieille femme gênante à mettre hors d'état de
nuire : les thèmes ne sont pas nouveaux. Et le domes-
tique-messager Arsène sort tout droit du *Chapeau,*
ainsi que les rencontres, ressemblances et coïncidences
qui s'accumulent pour mettre Tacarel en difficulté.
Mais celui-ci n'est pas Fadinard : raisonnable, il a
su donner à l'amour et à l'argent — au présent et à
l'avenir — leurs places respectives ; aussi loin des
fantaisies de *La Chasse aux corbeaux* que de la sordide
prudence de *L'Avare en gants jaunes,* il ne provoque
ni ne fuit les situations angoissantes, mais les affronte
sur place, tout juste assez audacieux pour écarter le
danger, tout juste assez bourreau pour n'être pas victime. Digne fils de Perrichon, il saura faire fortune
en évoluant avec la société. Labiche peut bien jouer
impunément avec les faux cheveux d'une veuve amoureuse, pourvu qu'il montre un héros capable de garder
la tête froide. L'auteur et son public sont rassurés sur
l'essentiel.

Rassuré, on a besoin de l'être. Si l'on se plaît à
voir réussir un jeune homme entreprenant, on n'en
comprend pas moins les inquiétudes d'une mère de
famille dont le mari, par son « goût de la bâtisse »,

103

met en péril le patrimoine. Aussi *Les 37 sous de Monsieur Montaudoin* déclenchent-ils un rire de bon aloi. Depuis vingt ans — depuis la naissance de sa fille — Montaudoin n'a pas vécu un seul jour sans angoisse, n'a pas un seul jour ralenti, dans sa propre maison, son zèle de policier impuissant. Comment trouver le criminel qui lui dérobe quotidiennement trente-sept sous ? Tout visiteur est suspect (« *il y a des tigres qui viennent déposer leurs œufs dans le ménage des colombes* », scène 16) jusqu'au jour où éclate la culpabilité de Madame Montaudoin : elle a, trente-sept sous par trente-sept sous, constitué à sa fille une dot de treize mille cinq cent cinq francs, intacte, quelles que soient les imprudences économiques du père de famille.

Egalement soucieux de l'avenir, les Colombot ont donné leur fille Emma, dix-huit ans, à *Célimare le bien-aimé*, célibataire de trente ans son aîné, dont le physique peu avenant et les anciennes bonnes fortunes sont largement compensés par un revenu stable : « *Célimare n'est pas jeune... Célimare n'est pas beau... mais la jeunesse, la beauté... ça passe... tandis que quarante mille livres de rente... quand on a de l'ordre... ça reste !* » (I, 5). Célimare pourtant n'envisage pas sans inquiétude sa condition de vieux mari et, tant pour se rasséréner que pour répondre aux sarcasmes du père Colombot, a l'imprudence d'évoquer son passé galant. Passé qui, naturellement, prend corps le jour même du mariage, en la personne de Vernouillet, veuf d'Héloïse, la bouillante bordelaise qui après cinq ans de « ménage à trois » a péri empoisonnée par un champignon vénéneux. Suivant de près Vernouillet, survient Bocardon, époux d'une Ninette bien vivante et revendicatrice dont il transmet innocemment à Célimare les griefs. Vernouillet et Bocardon, indéfectiblement attachés à leur ami Célimare, s'invitent au mariage et menacent de s'installer au domicile conjugal. Ils sont à vrai dire beaucoup plus encombrants que leurs épouses, l'une étant morte et l'autre bientôt consolée par un cousin. Célimare n'a d'autre issue que la fuite : il emmène femme et beaux-parents à Auteuil. Mais Vernouillet et Bocardon, chacun de son côté, cherchent et trouvent sans peine leur indispensable complément. Les voilà qui décident de s'établir à Auteuil. Comme Emma menace de partir, il faut frapper un grand coup. Et Célimare trouve le seul moyen infaillible d'éloigner les amis trop fidèles : il leur demande de l'argent. La situation se dénoue avec une rapidité inattendue qui fait accepter son réalisme :

CÉLIMARE : ...*Mes amis, vous saurez tout... ce voyage dont je vous parlais tout à l'heure... c'est une fuite... une fugue !*

TOUS : *Comment ?*

CÉLIMARE : *Je suis ruiné, poursuivi, traqué ! La Bourse...*

COLOMBOT : *Comment ! mon gendre... ?*

CÉLIMARE, bas à Colombot : *Taisez-vous donc ! vous ne comprenez rien !* (Aux autres :) *Enfin je dois... neuf cent soixante-quatorze mille francs... sans compter les frais !*

BOCARDON ET VERNOUILLET, ils remontent : *Diable !*

CÉLIMARE : *Oh ! je ne vous demande rien !*

VERNOUILLET, lui serrant la main : *Ah ! mon pauvre ami !*

BOCARDON, de même : *Mon brave ami !*

CÉLIMARE : *Merci, merci pour ce mot... mais je me relèverai... on me propose une affaire magnifique... il s'agit de fabriquer du zinc avec de la terre de bruyère... c'est un secret... n'en parlez pas !*

BOCARDON : *Oh !*

VERNOUILLET : *Soyez tranquille.*

CÉLIMARE : *Et c'est ici que j'ai besoin de toute votre amitié.*

Vernouillet, lui prenant une main : *N'en doutez pas !...*

Bocardon, de même : *Compte sur moi... à la vie, à la mort !*

Célimare : *Merci, merci pour ce mot !... Il me faudrait cent mille francs.* (Bocardon et Vernouillet retirent doucement leurs mains. Voyant leur mouvement et à part :) *Allons donc !* (Haut :) *J'aurais pu les chercher à droite... ou à gauche, mais vous m'en auriez voulu...*

Bocardon et Vernouillet, faiblement : *Oh ! Oh !*

Célimare, à part : *Je suis en train de les dévisser...* (Haut :) *Alors, je vous ai fait à chacun votre part... cinquante mille francs à l'un, cinquante mille francs à l'autre... comme ça il n'y aura pas de jaloux.*

Vernouillet, embarrassé : *Certainement... un vieil ami...*

Bocardon, de même : *Et dans le malheur encore ! c'est sacré !...*

Il remonte un peu.

Célimare : *Diable ! Diable !*

Colombot, bas à Célimare : *Vous allez voir qu'ils vont vous les prêter.*

Célimare, bas : *Ah ! s'ils font ça... je les garde !* (Haut :) *Du reste, je ne suis pas pressé, pourvu que j'aie cette somme avant cinq heures.* (Tirant sa montre :) *Il en est trois.*

Vernouillet, tirant sa montre : *Deux heures et demie, vous avancez...*

Bocardon, de même : *Moi, j'ai le quart !*

Colombot, de même : *Trois heures dix !*

Célimare : *Enfin, peu importe !...*

Vernouillet, avec aigreur : *Comment ! peu importe ?... C'est-à-dire qu'il n'y a que votre montre qui aille bien !*

Bocardon, de même : *Oui... faut toujours lui céder... c'est fatigant à la fin !*

106

Colombot, étonné : *Qu'est-ce qu'ils ont ?*

Célimare, à part : *Remarquez que je ne leur dis rien !*

Vernouillet : *Monsieur a la déplorable habitude d'imposer sa personnalité.*

Bocardon *: Il fait le potentat ; je soutiens, moi, qu'il est deux heures un quart.*

Vernouillet, à Célimare : *Alors... dites tout de suite que ma montre est une patraque !*

Bocardon, avec éclat : *Patraque ! la montre de ma mère !*

Vernouillet : *Il insulte nos mères !*

Célimare, à part : *Remarquez que je n'ai rien dit !*

Vernouillet, se montant : *Certes, monsieur... je ne suis pas susceptible, mais il est de ces mots...*

Bocardon, de même : *Qu'un galant homme...*

Vernouillet : *Ne saurait supporter...*

Bocardon : *Sans s'abdiquer soi-même !...*

Vernouillet : *Et si c'est une façon de nous faire sentir que notre présence vous gêne...*

Bocardon, avec éclat, à Vernouillet : *Oh ! Il nous flanque à la porte !*

Vernouillet, très exalté : *A la porte !*

Bocardon : *Partons, monsieur !...*

Ils remontent.

Célimare, à part : *Remarquez...*

Vernouillet, près de la porte : *Je n'eusse pas cru que nos relations dussent finir ainsi...*

Bocardon, également à la porte : *Ni moi... certes ! Allons-nous-en ! je souffre trop !*

Vernouillet : *Oh ! les amis !* (III, 11).

Le fonctionnement parfait de la machine à « gags », les cocasseries de la vie familiale, l'utilisation désinvolte d'innombrables retournements ne dissimulent pas tout à fait le vrai malheur de Célimare : représentant d'une génération sur le déclin, il trouve en Emma non seulement une femme trop jeune et virtuellement infidèle, mais une femme d'un type nouveau, qui ose, sinon encore affirmer son indépendance, du moins exprimer l'ironie et l'amertume des « mal mariées ». Après quelques jours de vie commune, elle répond, sur le ton de l'indifférence ennuyée, à Célimare qui se félicite d'être enfin seul avec elle : « *Il me semble que ça nous arrive souvent* » (III, 2). Et, comme pour rompre un tête-à-tête déjà insupportable, elle raconte à son mari un rêve où lui-même ne figurait pas : « *J'ai rêvé que Monsieur Vernouillet venait te relancer jusqu'ici... avec un jeu de dominos à la main !* (III, 2). C'est qu'à la tumultueuse liquidation dont les péripéties agrémentent le mariage succède l'ennui, fléau du petit rentier. Les vieux conflits apaisés, reste la nécessité, chaque jour renaissante, de tuer le temps et d'exercer aux cartes ou aux dominos tout ce qui survit encore de passion combative. La femme, objet désinvesti, suit distraitement les parties engagées, et commence peut-être à rêver de quelque libération plus satisfaisante que les amours clandestines. Résignée ou sournoisement entreprenante, Emma Colombot propose une nouvelle image féminine que Labiche va rageusement repousser en lui donnant les traits d'une vaincue grotesque. Et il lui inflige l'ennui des soirées de province sans lui accorder le charme d'Emma Bovary. Vieille, laide et hargneuse, Léonida Champbourcy, qui ose rêver d'amour, crée à ses dépens le comique de *La Cagnotte*.

La scène se passe d'abord à la Ferté-sous-Jouarre, où jouent à la bouillotte, comme chaque soir, autour d'une lampe fumeuse, Champbourcy, rentier, Colladan, riche fermier, Cordenbois, pharmacien, Beaucantin, percepteur, et Félix, jeune notaire. Léonida et Blanche, sœur et fille de Champbourcy, attendent leur tour de jouer. On joue de l'argent, en ce sens que chaque joueur ayant en main un brelan est imposé d'un sou. D'où la constitution d'une cagnotte qui grossit depuis un an. Depuis trois ans, d'autre part, on peut lire dans le journal une annonce matrimoniale concernant « *une demoiselle d'une beauté sévère, mais chez qui la majesté n'exclut pas la grâce, jouissant d'un revenu de cinq mille francs placés en obligations de chemin de fer* » (I, 1). Léonida ne cache ni sa sympathie pour la « demoiselle » en question, ni sa révolte contre la condition des femmes. Dès la première scène, il est clair que deux « séries » d'événements vont coïncider, selon le schéma bergsonien du comique : l'annonce matrimoniale doit enfin donner lieu à une rencontre, et l'argent de la cagnotte doit être dépensé.

Deux séries déjà s'entrecroisent lorsque le notaire Félix, amoureux de Blanche, choisit pour faire sa demande et énumérer ses biens le moment où Champbourcy compte les « sous » de la cagnotte.

FÉLIX, à part : *Je tremble comme un enfant... Est-ce ridicule !* (Haut :) *Monsieur Champbourcy...*

CHAMPBOURCY, comptant sans l'écouter : *Douze, treize.*

FÉLIX : *L'émotion de ma voix et le trouble que j'éprouve...*

CHAMPBOURCY : *Allons, bon !... vous me parlez... Je ne sais plus où j'en suis...*

FÉLIX : *Douze, treize...*

CHAMPBOURCY : *C'est ça... Quatorze, quinze.*

FÉLIX : *Doivent vous dire assez...*

CHAMPBOURCY : *Aidez-moi un peu... ça ira plus vite...*

FÉLIX, passant à la table, face à Champbourcy : *Volontiers.*

CHAMPBOURCY : *Par piles de vingt.* (Comptant :) *Dix-sept, dix-huit.*

FÉLIX : *Monsieur Champbourcy... depuis quinze mois que j'ai le bonheur de connaître Mademoiselle Blanche...*

CHAMPBOURCY : *Comptez donc...*

FÉLIX, prenant des sous et comptant : *Trois, quatre, cinq... Je n'ai pu rester insensible...*

CHAMPBOURCY : *Un, deux...*

FÉLIX : *Six, sept... Aux charmes de sa personne...*

CHAMPBOURCY : *Trois, quatre.*

FÉLIX : *C'est ce qui fait... huit, neuf... que, aujourd'hui... dix, onze...*

CHAMPBOURCY : *Sept, huit.*

FÉLIX : *J'ai l'honneur de vous demander... douze, treize, quatorze... la main de mademoiselle votre fille.*

CHAMPBOURCY : *Tiens, un bouton !... Déjà deux que je trouve.*

FÉLIX, à part : *Il ne m'a pas entendu...* (Haut :) *J'ai l'honneur de vous demander la main de mademoiselle votre fille...*

CHAMPBOURCY : *Attendez... Dix-huit, dix-neuf et vingt... une pile... Ça fait sept... sept francs !* (Recommençant à compter :) *Mon cher monsieur Renaudier... trois, quatre... j'apprécie comme il le mérite l'honneur que vous voulez bien me faire.*

FÉLIX : *Ah ! monsieur !*

CHAMPBOURCY : *Où en étais-je ?*

FÉLIX : *Trois, quatre...*

CHAMPBOURCY : *Cinq, six... votre demande m'honore... sept, huit, neuf... Je m'engage à la prendre en considération... Encore un bouton ! Qui diable a flanqué tout cela ?*

FÉLIX : *Ce n'est pas moi, je vous prie de le croire.*

CHAMPBOURCY : *Le mariage, jeune homme... c'est un bouton de paletot... s'il a ses douceurs et ses joies... il a aussi ses devoirs et ses charges.*

FÉLIX : *Je le sais... et croyez que toute ma vie...*

CHAMPBOURCY, désignant les piles de sous : *Voyons... qu'est-ce que nous avons ?*

FÉLIX, s'asseyant : *J'ai d'abord mon étude...*

CHAMPBOURCY : *Cinq ici et trois là, ça fait...*

FÉLIX : *Quarante-cinq mille...*

110

CHAMPBOURCY : *Comment... quarante-cinq mille ?*
FÉLIX : *Je l'ai payée ça...*
CHAMPBOURCY : *Mon ami, vous me troublez... Je vous parle sous... et vous me répondez dot... ça ne peut pas aller...* (Remettant tous les sous dans la corbeille :) *Je vais compter tout ça dans la salle à manger...*

Il se lève.

FÉLIX : *Mais, du moins, puis-je espérer ?...*
CHAMPBOURCY, emportant la corbeille et se dirigeant à droite : *Sans doute... si ma fille vous aime... Mais qui est-ce qui a fourré tous ces boutons là-dedans ?* (I, 4).

Tandis que se traite cette affaire courante, l'aventure commence pour Léonida : un homme, répondant à son annonce, lui écrit et lui fixe rendez-vous à Paris, dès le lendemain. Prétextant à la fois les fiançailles de Blanche (qui rendent nécessaire une visite aux magasins) et les maux de dents de Champbourcy (il n'y a pas de dentiste à la Ferté-sous-Jouarre), elle obtient que la cagnotte paye un voyage collectif à Paris. A peine arrivés dans la capitale, les provinciaux rencontrent un pickpocket qui, surpris alors qu'il vole une montre, s'en débarrasse en la mettant dans le parapluie de Champbourcy. Comme une contestation s'élève au restaurant et que Champbourcy refuse de payer, toute la micro-société de La Ferté-sous-Jouarre se retrouve dans les locaux de la police et vit dans la réalité le cauchemar de Mistingue et Lenglumé : la présence de la montre volée, les fragments de conversation rapportés et mis bout à bout par le garçon du restaurant, quelques gestes insolites observés et interprétés, donnent au policier Béchut tous les arguments susceptibles de transformer les inoffensifs joueurs de bouillotte en une bande de gangsters dont Champbourcy serait le chef. Incarcérés, ils tentent de s'évader, y parviennent finalement, mais non sans transporter dans leurs poches les platras qu'ils ont à coups de pioche détachés du mur de la cellule. Les platras reparaîtront en toute occasion chez le marieur Cocarel, où Léonida, croyant rencontrer le prince charmant, trouve seulement le pharmacien Cordenbois, alléché par l'annonce du journal. Un autre prétendant surgit : c'est le policier Béchut, qui reconnaît les évadés et se lance à leur poursuite.

Trimballant les platras de la démolition, ils se trouvent au petit matin, hagards, dans un chantier de construction où ils se sont cachés pour échapper à Béchut. Affublés des costumes de louage qu'ils portaient pour la « réception » chez Cocarel, ils n'attirent même pas l'attention, car c'est Mardi gras et on les prend pour des masques. Léonida en robe de tulle n'intervient même pas lorsqu'on parle, afin de payer le voyage de retour, de vendre les boucles d'oreilles — faux diamants au surplus — que lui offrit jadis Cordenbois. Tandis qu'on envisage les moyens de mettre fin à la situation inextricable créée par le manque d'argent, Félix le notaire apparaît en sauveur : tel Fadinard cherchant le chapeau de paille, il est, dit-il, depuis la veille à la recherche de sa montre, celle qui, précisément, s'est égarée dans le parapluie de Champbourcy.

Ce petit groupe menacé de décomposition dans la capitale qui se bâtit, est le morne pendant du cortège de noce mené par Nonancourt. Comme dans *Célimare*, et plus cruellement, Labiche met à nu les lézardes d'un édifice fatigué, maison familiale, local de police ou officine de marieur, que ravaudent laborieusement les architectes du jour. Et le « raccommodage » est triste, qui prélude pour Blanche au plus ennuyeux des mariages et, pour Léonida, à des années de solitude sans recours. Champbourcy, Cordenbois et Colladan, que ne trouble pas le malheur de la vieille fille, se rassérènent dès la venue du notaire et l'apparition de l'argent. Mais jamais plus l'idée ne leur viendra de

112

dépenser des sommes superflues, leurs économies passeront à des investissements utiles, et le jeu de la bouillotte, n'ayant même plus l'attrait du gain, ne fera plus que scander par son inlassable répétition le rythme des jours et des saisons.

VIII

APRES *MOI, LES CHEMINS DE FER*

Labiche est maintenant parvenu à situer dans leur contexte social ses épopées pour rire, et dans leur classe ses polichinelles. Il a gagné en lucidité terre-à-terre ce qu'il a perdu en fantaisie, et trouvé peu à peu un équilibre qui laisserait prévoir une progression et un enrichissement constants. Francisque Sarcey donne à *La Cagnotte* ses lettres de noblesse :

« La Cagnotte, *c'est toujours le* Chapeau, *mais c'est le* Chapeau *après* La Dame aux camélias, *après* Madame Bovary, *après les études de critiques expérimentales de Taine. Parfaitement ! Vous savez que la grande originalité de Dumas, dans la* Dame, *c'est de nous avoir montré, sur les planches, des gens qui, au travers de l'action principale, font un tas de petites choses ordinaires et qui parlent, le plus souvent, le langage vrai de la conversation ; bref, d'avoir apporté au théâtre plus de vérité. [...] Eh bien, Mesdames et Messieurs, un peu de cette vie a pénétré jusque dans le Vaudeville, avec* La Cagnotte. *Les personnages du* Chapeau *n'étaient encore que des fantoches. Mais tout le premier acte de* La Cagnotte *pourrait être celui d'une comédie de mœurs. La Cagnotte, c'est bien toujours le* Chapeau, *mais teinté de réalité. La Cagnotte, c'est* La Dame aux camélias *du Vaudeville* [1]. »

Ainsi consacré grand vaudevilliste, et craignant

1. Conférence prononcée par Francisque Sarcey le 17 janvier 1895 à l'occasion de la reprise de *La Cagnotte* par le Palais-Royal, et citée par Jules Lemaître dans *Impressions de théâtre*, Paris, H. Lecène et H. Oudin, 9e série, 1896, pp. 57-61.

peut-être l'ennui d'un succès trop assuré, Labiche tente à nouveau une de ces « sorties » qui sont censées lui donner la chance d'atteindre à une gloire moliéresque ; utilisant son ancienne camaraderie de chroniqueur avec Edouard Thierry, administrateur du Français, il s'applique, avec la collaboration d'Edouard Martin, co-auteur de *Monsieur Perrichon* et de *La Poudre aux yeux,* à composer ce qu'il appelle une « comédie morale et *gaie* ». Que retenir de ce *Moi,* satire de l' « égoïste », sinon la définition qu'y donne du « moi » le héros Dutrécy : un *« composé de tous les organes qui peuvent m'apporter une jouissance »* (I, 8) ? La pièce, où deux vieillards rivalisent d'égoïsme, deux jeunes gens d'altruisme, ne fait place ni aux hasards diaboliques qui propulsent d'acte en acte les provinciaux de *La Cagnotte,* ni surtout aux raccourcis de langage qui font éclater la rhétorique des Champbourcy et des Cordenbois. L'amitié de Dutrécy et La Porcheraie, égoïstes complémentaires, est elle-même expliquée avec tant de soin, tant de « subtilité » ostentatoire, qu'on imagine, substitué à Labiche, quelque studieux candidat bachelier acharné à réussir un « à la manière de » Molière entre deux dissertations en vers latins.

Un mari qui lance sa femme, autre « comédie » sans éclat, qui prétend dénoncer l'aveuglement du bourgeois devant le faux brillant du « demi-monde » (fustigé déjà par Dumas fils), laisse au moins affleurer le désir, toujours renaissant chez Labiche, de montrer derrière la pusillanimité bourgeoise l'agitation intérieure dont elle est payée. Mais, le procédé théâtral générateur de plaisir étant mis au service d'une morale qui sélectionne et juge les plaisirs, l'action se borne à faire répéter sans surprises, par des personnages définis une fois pour toutes, des conduites d'échec dont seule la répétition accélérée et chaque fois aggravée eût pu engendrer un rire libérateur.

L'échec de Labiche ne donne pas lieu cette fois à

l'explosion de rage irrévérencieuse qui suivit *La Chasse aux corbeaux* ou *L'Avare en gants jaunes*. Il est vrai que l'auteur de *Perrichon* jouit maintenant d'un prestige officiel suffisant pour accepter plus sereinement les compromis. Pourtant, si *Le Point de mire* ressasse les thèmes éprouvés de la « poudre aux yeux » et de la course à la dot, sournoisement y reparaissent des glissements qui, sans les outrances du *Grain de café,* imposent une vision légèrement déplacée de la vie familiale. Parce que Duplan, tel Potfleury dans *L'Avare en gants jaunes,* a demandé par inadvertance, pour son séduisant fils Maurice, à la fois la main de Berthe Carbonel et celle de Lucie Pérugin, les insipides salons des deux familles vont se transformer, sans qu'on y prenne garde, en chambres équivoques où les « prétendus » passent de couloir en placard comme les amants sans pudeur du théâtre le plus leste.

Déplacement encore, série de déplacements plutôt avec *Premier prix de piano.* Le rentier Dégodin, contrairement à bien des pères, veut à tout prix marier Blanche, récemment sortie de pension, premier prix de piano et douée pour la peinture : les gammes de Blanche l'exaspèrent et troublent la vie paisible qu'il mène avec sa servante Victoire. Madoulay, jeune et bouillant jeune homme qui fait irruption chez Dégodin, ne demande pourtant pas la main de Blanche, mais enquête sur les raisons que peut avoir Dégodin (qu'il ne connaît pas) de lui faire manquer tous ses mariages. L'explication est simple : Dégodin est locataire d'un appartement voisin du Luxembourg (où « *on [lui] râtisse [ses] allées tous les jours* », (scène 4) et de l'Odéon (où il ne va jamais) ; Madoulay est le neveu du propriétaire, et le bail stipule qu'au cas où Madoulay viendrait à se marier, Dégodin devrait lui laisser la place. Madoulay, se faisant passer pour un Espagnol dont Madoulay veut épouser la sœur, interroge Dégodin sur le « prétendu » :

Madoulay : *Monsieur, je viens vous demander quelques renseignements sur une personne qu'on m'a dit être connue de vous... je veux parler du jeune Madoulay.*

Dégodin : *Madoulay !*

Madoulay : *Il s'agit d'un mariage qu'il désire contracter...*

Dégodin, vivement : *Un mariage !*

Madoulay : *Il se présente pour épouser ma sœur Rosita-Anita-Purpura-Marguarita Las Fuentes... et je m'adresse à votre loyauté et à votre franchise pour savoir ce que je dois penser de ce jeune candidat.*

Dégodin : *Mon Dieu, Monsieur, certainement c'est très délicat... Puis-je être sûr au moins de votre discrétion ?*

Madoulay, avec dignité : *Je suis Espagnol, monsieur !...*

Dégodin : *Je le sais... mais il y a quelquefois... des Espagnols qui jacassent... Jurez-moi sur l'honneur castillan que vous ne répèterez mes paroles à personne.*

Madoulay : *Je le jure sur la garde de votre épée...*

Dégodin : *Très bien... ça suffit... Entre nous, je le connais beaucoup, ce petit Madoulay... gentil garçon !... mais pour un million, je ne lui donnerais pas ma fille !*

Madoulay, à part : *Voilà !* (Haut :) *Alors, vous le connaissez particulièrement ?*

Dégodin : *Depuis son enfance... Je l'ai fait sauter sur mes genoux... je tutoyais son oncle... le père Lestrelin... un excellent homme... dont il a hâté la fin, dit-on... Car je n'affirme rien...*

Madoulay : *Je croyais qu'il était mort d'un pâté de foie gras remonté.*

Dégodin : *Ah ! bien oui ! vous me jurez de ne répéter à personne...*

Madoulay, étendant la main : *Je le rejure...*

Dégodin : *Eh bien, toujours entre nous... mon*

117

cher monsieur Las Fuentes... ce jeune homme est joueur comme les cartes... il couche avec la dame de pique...

MADOULAY : *Ah !*

DÉGODIN : *Je ne dis pas que ce soit un Grec !*

MADOULAY, à part : *C'est heureux !*

DÉGODIN : *Quoique le bruit en ait couru... mais moi... je ne suis pas méchant, je mets cela sur le compte du champagne...*

MADOULAY : *Comment ! Est-ce que...*

Il fait le geste de boire.

DÉGODIN : *Outre mesure... vous n'avez pas regardé son nez... et dans ces moments-là, il ne se connaît plus, il bat les femmes !*

MADOULAY : *Ah ! c'est trop fort !*

DÉGODIN : *Trop fort... non... mais assez pour leur faire des bleus... Il n'y a qu'à voir la petite Finette...*

MADOULAY : *Finette !*

DÉGODIN : *Sa maîtresse... C'est bien entre nous... une ancienne liaison... une femme de théâtre, avec des enfants...*

MADOULAY : *A lui ?*

DÉGODIN : *Pas tous... Je crois qu'il n'y en a que quatre à lui...*

MADOULAY : *Quatre enfants !*

DÉGODIN : *Quelques-uns disent cinq... mais moi, je ne suis pas méchant. Du reste, ce pauvre garçon a une excuse... c'est sa maladie...*

MADOULAY : *Quelle maladie ?*

DÉGODIN : *Son ramollissement... C'est bien entre nous... il a un ramollissement du cerveau...*

MADOULAY, se rapprochant de Dégodin : *Oh ! que vous m'intéressez ! continuez donc...*

DÉGODIN : *Il est resté six mois dans une maison de santé... on ne l'a guéri qu'à force de douches... et quand je dis guéri... ça revient... ça va et ça vient...* (scène 9).

118

Ainsi commencée, la bataille va se livrer constamment par personnes interposées. Loin de s'en prendre à Dégodin lui-même, c'est aux Duponceau, parents d'un jeune homme à qui Dégodin abandonnerait volontiers Blanche, que Madoulay va tracer un portrait de Dégodin reproduisant avec outrance celui que Dégodin a tracé de lui : Dégodin boit, entretient une comédienne, a une liaison avec sa bonne, et souffre d'un ramollissement cérébral aux manifestations spectaculaires : « *L'année dernière on l'a recueilli sur le Pont-Neuf, à minuit, vêtu d'une simple chemise, avec son... parapluie ouvert !* » (scène 16). Instantanément, les détails salaces fournis par Madoulay excitent la curiosité de Madame Duponceau. Prétextant son indignation d'honnête femme, elle exige, avec une insistance maternelle et passionnée, le maximum de précisions sur les crimes du vieil homme, et Madoulay s'empresse :

MADAME DUPONCEAU, à Madoulay : *Venez, monsieur, ne me cachez rien... A une mère !... à une mère !*

MADOULAY : *Ah ! Comme vous savez me prendre !*

Il entre à droite avec Madame Duponceau (scène 13).

Si Madoulay apparaît soudain comme un fils amoureusement soumis face à une mère inconnue, il s'avère en même temps être le jeune homme séduisant que Blanche avait pris d'abord pour le fils Duponceau. Et, Dégodin ayant implicitement avoué tous ses crimes et accepté de rompre la liaison qu'on lui prête avec une comédienne (il gardera cependant Victoire), le duel un instant envisagé n'aura pas lieu et Madoulay épousera Blanche. Il a, du reste, trouvé les arguments propres à convaincre le père indigne : prenant le contre-pied de l'attitude commune, au lieu de faire valoir ses mérites et ceux des Dégodin, il déprécie

119

les deux parties de manière à rendre le mariage inévitable :

MADOULAY : *Monsieur Dégodin, grâce à moi, vous êtes un homme taré, coulé, fini, ravagé, démoli !!!*

DÉGODIN : *Monsieur !*

MADOULAY : *De mon côté, grâce à vous, je suis complètement perdu de réputation... joueur, coureur et ramolli... Votre fille ne peut épouser personne... moi, je suis condamné à rester garçon... C'est pourquoi j'ai l'honneur de vous demander sa main.*

DÉGODIN, exaspéré : *La main de Blanche ! Jamais ! Jamais !*

BLANCHE, redescendant à droite : *Eh bien ! est-ce arrangé ?*

DÉGODIN : *Monsieur vient de me faire l'injure de me demander ta main... je lui ai répondu que tu l'exécrais, que tu ne pouvais pas le voir en peinture.*

BLANCHE : *Mais c'est faux... papa.*

DÉGODIN : *Comment ?*

BLANCHE : *Et si tu refuses de faire mon bonheur, je ne me marierai jamais... je me réfugierai dans mon piano* (scène 20).

A la docilité d'Hélène Nonancourt, à la résignation hargneuse d'Emma Colombot, succède la résolution d'une jeune fille prompte à utiliser ses armes pour forcer le consentement paternel. Madoulay, si énergique qu'il soit, devra chez lui renoncer à sa toute-puissance de chef de famille. Et — autre nouveauté — d'un commun accord beau-père et gendre décident de faire ménage à part. Dégodin et Victoire mettront la Seine entre eux et le jeune couple Madoulay :

DÉGODIN : *Je mets une condition à ce mariage.*

MADOULAY : *Laquelle ?*

DÉGODIN : *Vous vous engagerez par écrit à ne jamais habiter la rive gauche.*

MADOULAY : *Très bien !... mais vous, vous vous engagerez, de votre côté... à ne jamais habiter la rive droite...* (scène 20).

Ici les représentants de la génération nouvelle, mettant à profit l'égoïsme du père Dégodin, plus attaché à son appartement et à sa cuisinière qu'à sa fille, luttent avec lui d'égal à égal pour obtenir leur autonomie ; et Labiche rend compte avec bonhomie de cette situation, conforme à une réalité sociale qu'il ne peut plus ignorer. Tout au plus laisse-t-il entrevoir, par la caricature de demande en mariage, la déroute profonde que recouvre un tel « progrès ». Il ira plus loin avec *La Bergère de la rue Monthabor* où, prétextant le bal de l'Opéra, il affuble la famille Moulinfrou de déguisements grotesques.

Les Moulinfrou pourtant, avant de se costumer respectivement en Guillaume Tell et Belle Hélène, avaient fiancé Augustine selon la bonne règle :

MOULINFROU : *Ma fille, nous attendons ce soir un jeune homme, un prétendu...*
AUGUSTINE : *Pour moi ?...*
MOULINFROU : *Dame ! à moins que ce ne soit pour ta mère.*
AUGUSTINE : *Est-il bien ?*
MADAME MOULINFROU : *Ça ! nous ne le connaissons pas.*
MOULINFROU : *Pardon ! voici sa photographie.*
Il la montre.
AUGUSTINE : *Mais c'est un vieux !*
MOULINFROU : *Attends donc ! c'est le père, ça...*
AUGUSTINE : *Et le fils ?...*
MADAME MOULINFROU : *Nous ne l'avons pas.*
MOULINFROU : *Nous l'avons.* (A Augustine :) *Regarde au-dessous : cette petite écriture fine.* (Lisant :) *« Me voici, mon fils est tout mon portrait ».*
AUGUSTINE : *Alors, il n'est pas beau.*

Moulinfrou : *Il n'est pas mal pour un père... Le fils doit être plus jeune* (I, 6).

Surtout, Augustine sera la « *reine d'Epernay* » où la famille Goderleau « *possède les grands crus, un château, des fermes, une forêt et des caves [...] dans lesquelles on peut se promener en voiture* » (I, 6).

Mais Eusèbe, le fiancé, n'est pas sans particularités inquiétantes. « *S'il avait un défaut* », confesse Goderleau père, « *il serait plutôt trop simple* » (I, 7). Enfant chétif en effet, comme Alidor de Boismouchy, on l'a élevé à la campagne et il est devenu « *enfant de la nature* ». Il est aussi resté « *tout neuf... une jeune fille* ». Mais Eusèbe, alliant le goût d'Emile Bèche pour Joséphine à celui d'Alidor pour le demi-monde, va profiter du bal de l'Opéra où, costumé en sauvage et armé d'une massue, il séduit la cuisinière Constance (vêtue en sorcière), qu'il prend pour une baronne voisine des Moulinfrou. Quant à Augustine, elle trompera la surveillance de ses parents au cours du même bal, où elle est en bergère, pour céder sans difficulté aux avances d'Henri, frère d'Eusèbe, artiste peintre, honte de la famille Goderleau. Innocence ou perversité, Augustine ne voit pas ce qu'elle pourrait craindre en suivant un homme inconnu :

Henri : *Vous n'avez donc pas peur de vous trouver toute seule ici avec moi ?*
Augustine : *De quoi voulez-vous que j'aie peur, je n'ai pas d'argent.*

Et, tandis qu'Henri découvre peu à peu que croyant amener chez lui une grisette il s'embarrassait d'une honnête héritière, Augustine se grise de champagne et se gausse du couvent d'où elle vient de sortir :

Augustine, s'animant : *Ah ! un jour ! au couvent... nous avons bien ri... il y a une de ces demoi-*

122

selles qui a apporté une bouteille de champagne dans son manchon.

Elle rit.

HENRI : *Vous avez été au couvent ?*

AUGUSTINE : *J'en suis sortie il y a trois mois.* (Riant :) *Alors, la supérieure l'a prise... et pour la punir... on l'a condamnée à garder son bonnet de nuit pendant trois jours.*

HENRI, à part : *On n'invente pas ça !*

AUGUSTINE : *Moi... si on m'avait forcée à garder mon bonnet de nuit... je l'aurais déchiré... v'li, v'lan !*

HENRI : *Oui, mais la supérieure ?*

AUGUSTINE, très animée : *Ah ! je m'en moque pas mal de la supérieure... Quand elle tournait le dos, je lui tirais la langue... comme ça...* (Elle tire la langue :) *Dieu ! que j'ai soif !*

Elle prend la bouteille de champagne.

HENRI, la lui retirant des mains : *Non ! Non !*

AUGUSTINE : *Pourquoi ?*

HENRI : *Il n'en resterait plus pour papa qui va venir.*

AUGUSTINE : *On en demandera une autre.*

HENRI : *Achevons plutôt de mettre le couvert.* (A part :) *Elle s'anime, la bergère... Si je pouvais la flanquer dans un fiacre...*

AUGUSTINE : *Bon ! Il n'y a pas de serviettes... Sonnez !*

HENRI, très troublé : *Là !... à côté... dans l'armoire à gauche.*

AUGUSTINE, entrant à gauche : *Ah ! je m'en moque pas mal de la supérieure !* (III, 3).

Scandale chez les Moulinfrou, d'autant que le notaire est là de bon matin pour la signature du contrat. Mais Henri se présente et demande la main d'Augustine, que Moulinfrou lui accorde « *avec répugnance et mépris* ». Eusèbe laisse sans difficulté sa fiancée à qui la veut, puisqu'il a succombé au charme de Constance, laquelle l'a déjà enchaîné à l'aide d'un écheveau de laine. La peau douce de la cuisinière, douce « comme une peau de chat », lui a fait oublier qu'elle n'était pas baronne. Et l'on songe à Joséphine, cuisinière chez les Bèche et habile séductrice : « *Joséphine déploya une hypocrisie au-dessus de son rang. Il y avait vraiment dans cette cuisinière toute l'étoffe d'une grande dame* » (chap. II). Mais Joséphine se contentait de plaire à un valet, Constance, elle, s'attaque au jeune maître, et réussit mieux que ne faisait l'élégante Rosa auprès d'Alidor de Boismouchy. Au surplus, dans cette maison où les parents se travestissent et où la fille choisit son amoureux, les domestiques se font arrogants. Constance et le valet Polydore fréquentent, comme les Moulinfrou, le bal de l'Opéra. Ce qui n'empêchera pas Constance voyant Madame Moulinfrou, hagarde en Belle Hélène, rentrer à l'aube sans sa fille, de proférer sévèrement : « *Comme elle est faite !... Ils ont passé la nuit dans l'orgie !* » (IV, 1). Bien mieux équilibrée que *Deux merles blancs,* où pesait trop lourd le couple innocent Alidor-Mouillebec, *La Bergère de la rue Monthabor* montre un monde en décomposition où ni le rang social ni la loi paternelle ne peuvent faire obstacle aux désirs imprévus et où le champagne des respectables caves Goderleau grise les pensionnaires autant que les grisettes.

Ces déroutes familiales ne sont que la version grotesque d'une situation que la bourgeoisie, bon gré mal gré, ne peut plus ignorer : tandis que les fêtes se multiplient à la Cour et que le demi-monde prospère, l'autorité impériale s'effrite. Non seulement le mécontentement populaire grandit et les organisations ouvrières se renforcent — au point que le gouvernement doit prendre quelques mesures libérales et admettre à la Chambre des représentants du Tiers parti, sans pour autant éviter que ne se multiplient

les grèves et les revendications —, mais Napoléon III
a mécontenté les industriels par la signature de traités
commerciaux qui les désavantagent, les catholiques
par la guerre d'Italie. Tandis qu'ouvriers et étudiants
s'agitent, Bismarck assure le pouvoir grandissant de
la Prusse, et écrase à Sadowa l'armée autrichienne.
L'impératrice Eugénie exerce une tyrannie brouil-
lonne, les femmes et les filles des bourgeois s'éman-
cipent. L'empereur n'est plus maître chez lui, Perrichon ne légifère plus entre ses quatre murs, et Labiche voit surgir le spectre de la révolution. *Un pied
dans le crime,* qui débute par un échange de tra-
casseries entre deux voisins de campagne, finit par
un procès d'assises où le pusillanime Gaudiband, fier
tout d'abord de siéger au banc des jurés, se voit mis
dans l'impossibilité de résister au chantage d'un
domestique trop averti. Surtout, il s'avère qu'un certain Monsieur de Blancafort doit être ménagé parce
que, paradoxalement, il n'est pas le noble propriétaire
que l'on croyait, mais le père Tampon, ancien tenan-
cier de club, à qui le bourgeois Gatinais doit d'avoir
survécu à une révolution :

GATINAIS : *Gaudiband, l'homme qui est devant toi
a tenu tête aux orages populaires et a su braver les
clameurs d'une populace en délire.*

GAUDIBAND : *Toi ?... quand ça ?...*

GATINAIS : *Tu me connais... je n'ai pas d'opinion...
je suis pour le bonheur de la France !... Néanmoins,
je fréquentais à cette époque les réunions populaires...
On a beau dire... ça instruit toujours... Un soir, je
me trouvais à Belleville, chez le père Tampon, qui
louait sa salle de danse au* club des Alouettes toutes
rôties. *Tout à coup, l'orateur qui était à la tribune
propose carrément de supprimer le numéraire. Alors,
je me penche vers mon voisin et je lui dis... mali-
cieusement mais sans méchanceté : « Voilà un particulier qui me semble brouillé avec l'Hôtel de la*

*Monnaie ! »... Aussitôt un grognement formidable
sort des entrailles de la terre... vingt mille bras se
lèvent, m'empoignent, me poussent, me bousculent...
J'allais être écharpé, lorsque le père Tampon me fait
disparaître par une petite porte et me cache dans
son four pendant vingt-quatre heures ! Vingt-quatre
heures dans un four... voilà ce que j'ai fait.*

GAUDIBAND : *Saprelotte !*

GATINAIS : *Voilà ce que j'ai fait, Gaudiband ! Et
maintenant, douteras-tu encore de mon énergie ?*
(I, 11).

Et si les atrocités de la *Rue de l'homme armé,
nº 8 bis* allaient revenir ? Heureusement Labiche, à
l'instar de Gatinais, n' « a pas d'opinion » et ses
angoisses politiques passent après la constante pré-
occupation du succès. Succès parfois capricieux, y
compris lorsqu'il aborde l'Opéra Comique. Les anciennes recettes cependant s'avèrent solides. *La Grammaire,* où un archéologue bouffon baptise « lacry-
matoire de la décadence » un vase de nuit brisé, où
un beau-père et un gendre allergiques à l'orthographe
admirent et utilisent en bonne intelligence les connaissances grammaticales de la savante Blanche, sera
représentée à la Cour et interprétée par le prince
impérial en personne... *Le Plus heureux des trois,*
écrit en collaboration avec Edmond Gondinet, où il
est prouvé que la situation d'amant présente moins
d'avantages que celle de mari, reproduit avec brio
— mais sans la richesse du langage — des jeux de
scène éprouvés depuis *Edgard et sa bonne,* et confie à
un désopilant couple de domestiques alsaciens le soin
de rappeler au passage l'actualité militaire mena-
çante.

Mari et amant, gendre et beau-père peuvent encore
faire bon ménage s'ils ont la sagesse de rester chez
eux, et d'y garder les femmes. Ginginet, parce que
cette sagesse lui manque, va être entraîné par *Les*

Chemins de fer d'aventure en catastrophe. Il croyait sage pourtant, venant toucher les dividendes de quelques actions des chemins de fer, d'amener sa femme Clémence, sa nièce anglaise Jenny, Colombe sa bonne — que convoite instantanément Tapiou, employé incompétent et faux manchot — et un globe de pendule. La famille Ginginet fait dans le local de l'admi-nistration une entrée solennelle :

GINGINET : *Où est donc Colombe ?* (Appelant à la cantonade :) *Colombe !*

COLOMBE, entrant ; elle tient un énorme globe de pendule : *Me voilà ! C'est le brigadier qui ne voulait pas me laisser passer...*

TAPIOU, à part, regardant Colombe : *Nom d'un Turc ! voilà une belle femme !*

GINGINET, à Colombe : *Prends bien garde au globe.*

COLOMBE : *Dans le fiacre, j'ai manqué de m'asseoir dessus.*

Elle rit comme une folle.

TAPIOU : *Je sais bien quel est le globe qui aurait cassé l'autre.*

Il rit comme un fou ; Colombe et Tapiou s'arrê-tent et se regardent.

GINGINET : *Mesdames, asseyez-vous sur ce banc.* (A Jenny :) *Banc ! Répète : banc !*

JENNY, répétant, accent anglais : *Banque !*

GINGINET : *C'est à peu près ça... Chemin faisant, je lui apprends le français...*

CLÉMENCE : *Mais quelle idée as-tu de nous faire entrer ici ?... Nous pouvions très bien t'attendre dans le fiacre...*

GINGINET : *Clémence, tu es ma femme... tu es appelée à devenir veuve un jour.*

CLÉMENCE : *Oh ! mon ami !*

GINGINET : *Le plus tard possible !... Mais je veux, quand la Parque se sera prononcée... que tu saches gérer ta fortune... Nous allons apprendre ensemble*

le mécanisme des chemins de fer... car c'est la pre-
mière fois que je me lance dans cette valeur... contre
ton avis, je le sais.

CLÉMENCE : *Oh, pour quinze actions !*

GINGINET : *Mais ces quinze actions me donnent un*
droit... au prorata... sur tout ce qui est ici... chaises,
bancs, tables, guichets... (A Jenny :) *Jenny,* come
here... (A part :) *Je ne sais que ça d'anglais, mais ça*
m'est bien utile. (Lui montrant un guichet :) *Répète :*
guichet !

JENNY, répétant : *Couchette !* (I, 4).

Comme la Mer de Glace était le domicile secon-
daire de Perrichon, les locaux des chemins de fer
appartiennent à l'actionnaire Ginginet qui en fait les
honneurs. Et, pour calmer l'inquiétude de Clémence
qui ne se sent pas à sa place, il trouve l'argument sans
réplique : « *Une femme au bras de son mari... entre*
sa nièce, sa bonne et sa pendule... n'est déplacée nulle
part... » (I, 4).

Les mauvaises rencontres pourtant ne manquent
pas de se produire : Jules, l' « ange des bordereaux »,
qui propose ses services aux jolies femmes affolées
par les paperasses, jette son dévolu sur Clémence,
l'administrateur Bernardon sur la femme de Tapiou.
Et quand les Ginginet prennent le train pour aller à
Strasbourg marier Jenny, ils y retrouvent, bien malgré
eux, Jules, Tapiou (« déporté » en province par Bernardon qui veut l'éloigner du foyer conjugal), ainsi
que Courtevoil, militaire en quête de combats singu-
liers. L'objet perdu, indispensable aux épopées, sera
le globe de pendule égaré par Colombe. Et comme
il faut aussi une poursuite, tandis que le militaire
poursuit Jules afin de l'affronter en duel sur le pont
de Kiel, Bernardon « fait chauffer » une locomotive
pour se lancer sur les traces de son caissier en fuite.
Après les péripéties du départ, l'arrêt forcé dans un
« buffet » désaffecté, la nuit d'insomnie et de va-et-

vient dans un hôtel de fortune, Jenny épousera son fiancé et Jules deviendra l'ami de la famille Ginginet. Mais Colombe et Tapiou, qui se sont choisis librement dès le premier instant, quitteront le petit cercle, lui les chemins de fer et elle le domicile patronal, pour vivre leur propre vie.

Les moyens de transport modernes ont rendu possible l'évasion, non seulement des amoureux, mais aussi de tous ceux qu'un passé indésirable amène à changer de pays ou même de nom. C'est le cas de Rosafol, alias Godivais, que l'apparition de son homme de paille et maître à penser, Laridel, contraint à rouvrir *Le Dossier de Rosafol*. La prochaine arrivée de Laridel a rendu Rosafol quasi inattentif à l'entrée en service d'une nouvelle femme de chambre, Antonina, engagée après beaucoup d'autres par Madame Rosafol, que les penchants ancillaires de son époux contraignent à changer souvent de personnel féminin. Laridel fait bientôt son entrée. « *Avocat... suisse... et d'une franchise... suisse* » (scène 3), le voyageur proclame d'une voix ferme son amour de la vérité : « *Enfant d'une nature âpre et sauvage... il me serait impossible de me plier aux mensonges de la vie civilisée* » (scène 4). Dans la bouche de Laridel, les flatteries les plus plates deviennent éminemment convaincantes, et Madame Rosafol est vite conquise. Mais ce n'est là qu'entrée en matière : avec Laridel, Rosafol a retrouvé une conscience morale incorruptible, qu'il change vite en *alter ego* complice, selon une technique familière au père Ubu :

ROSAFOL : *Ah ! tu n'as pas changé... toujours rude, brusque, austère...*

LARIDEL : *Qu'est-ce que tu veux ? je ne sais pas transiger, moi ! Ah ça ! maintenant que nous voilà seuls, explique-moi pourquoi je te retrouve à Paris sous le nom de Rosafol, après t'avoir connu trente ans à Genève, sous celui de Godivais.*

129

Rosafol : *Ah ! voilà ce que je craignais... l'interrogatoire... Tiens, vois-tu... je t'aime bien... mais tu
me fais peur... En te voyant entrer... je me suis dit :
Voilà ma conscience qui arrive de Genève...*

Laridel, allant au fond prendre son sac de nuit :
Aurais-tu forfait à l'honneur ?... Adieu !...

Il passe à droite.

Rosafol, le retenant : *Non ! reste donc !... Quel
homme !... J'ai changé de nom... voilà tout... j'ai pris
celui de ma femme.*

Laridel : *Je ne m'inquiète pas de l'étiquette qui
est sur la cruche.*

Rosafol : *Merci.*

Laridel : *Mais je me préoccupe de la liqueur
qu'elle renferme !... Pourquoi ce changement de
nom ?*

Rosafol : *Mon Dieu ! c'est une faiblesse... une
petitesse... si tu veux... La famille d'Aglaure est alliée
à la première noblesse de Loir-et-Cher... et dame !...
le nom de Godivais... faisait faire la grimace... alors
j'ai obtenu l'autorisation de prendre celui de Rosafol... Tu m'en veux... hein ?*

Laridel, après avoir réfléchi : *Tous les noms sont
bons quand ils couvrent un cœur d'honnête homme !*

Il pose son sac sur la chaise à droite près du bureau.

Rosafol, à part : *Est-il carré !*

Laridel : *Tu aimais sans doute madame de Rosafol... C'est un mariage d'inclination ?*

Rosafol : *C'est-à-dire... tu ne l'as donc pas regar-
dée ?... Quand j'ai quitté Genève... après avoir liquidé
ma maison de commerce... il me restait fort peu de
chose... le séjour à Paris ne tarda pas à m'achever...
Bref ! j'étais sans ressources... Madame de Rosafol
voulut bien s'éprendre de moi... Elle avait quarante
mille livres de rente.*

Laridel : *Ah ! diable !*

Rosafol : *Sa fortune était un obstacle... j'en conviens... mais je l'ai franchi !... Tu m'en veux, hein ?*

LARIDEL, après réflexion : *Moi ? Nullement, tu as su braver un préjugé social... La philosophie t'en remercie.*

ROSAFOL : *Ah ! ça me fait plaisir, ce que tu me dis là !... parce que, au fond, je me reprochais... mais du moment que la philosophie...*

LARIDEL : *Alors te voilà riche ?*

ROSAFOL : *C'est-à-dire que je suis logé, nourri, habillé...*

LARIDEL : *Et tes quarante mille livres de rente ?*

ROSAFOL : *Ils sont à ma femme... et comme nous sommes mariés séparés de biens... elle me donne deux cents francs par mois pour mes dépenses de poche.*

LARIDEL : *C'est peu.*

ROSAFOL : *Elle m'a diminué... Autrefois j'avais cinq cents francs.*

LARIDEL : *Et pourquoi ?*

ROSAFOL : *Elle s'est fourré en tête des idées de jalousie... et elle se figure en me coupant les vivres... mais j'ai trouvé un truc... ce portrait.* (Il indique celui de gauche.) *Je l'ai acheté d'occasion aux commissaires-priseurs.*

LARIDEL : *Qui est-ce ?*

ROSAFOL : *Je ne sais pas... quelque cascadeuse dans la débine... J'ai dit à Aglaure que c'était celui de ma première femme.*

LARIDEL, prenant son sac de nuit : *Un mensonge !... Adieu !*

Il passe en remontant au fond.

ROSAFOL, le retenant : *Attends donc !... ce n'est pas un crime... une petite supercherie tout au plus... Quand Aglaure devient aigre, acariâtre, tyrannique... je m'agenouille devant cette demoiselle... et j'adresse au numéro 1 des regrets qui attendrissent le numéro 2 ; mon Dieu, ce n'est peut-être pas très... Tu m'en veux, hein ?*

131

LARIDEL, après avoir réfléchi : *Nullement... Devant l'oppression, la ruse est un devoir !*

Il dépose son sac sur la table de gauche.

ROSAFOL, à part : *Est-il carré !* (scène 5).

Il se trouve que la première Madame Godivais est encore bien vivante : Godivais, qui avait eu la faiblesse d'épouser sa « *demoiselle de boutique* », a divorcé (« *car on divorce encore en Suisse* », scène 5), avec l'aide de Laridel, avocat, chargé de prouver les nombreuses infidélités de la dame. Et il se trouve, aussi, que la nouvelle femme de chambre Antonina n'est autre que cette Madame Godivais « numéro 1 ». Laridel, séduit par Antonina, change de camp et, plus « carré » que jamais, fait payer à Godivais — par mensualités qui le privent de son maigre argent de poche — le prix de ses mensonges et le silence des témoins. Antonina, moyennant quelques faveurs accordées à son conseiller juridique qui lui pardonne ses turpitudes anciennes (« *le repentir d'une femme est son apothéose !* », scène 18), pourra acheter le « *petit fonds de modiste* » dont elle rêve. Florestine, d'*Edgard et sa bonne,* ne pouvait que troubler maladroitement le mariage du maître ; Antonina, elle, a su se faire épouser d'abord, obtenir ensuite les « dommages et intérêts » dus aux femmes abandonnées. Elle peut dès lors rivaliser avec Madame de Rosafol, sur qui elle possède l'avantage de la beauté.

Insidieusement pendant ce temps se prépare, hors du Palais-Royal, un nouveau « monde à l'envers » : l'armée prussienne fera en sens inverse le voyage Paris-Strasbourg de Ginginet et du belliqueux Courtevoil ; et la capitale, pour quelques semaines, sera aux mains de serviteurs malfaisants, qui joueront dans la rue le seul vaudeville-cauchemar capable de transformer Labiche en spectateur impuissant et épouvanté.

IX

DOIT-ON LE DIRE ?

Le temps de balayer les cadavres de Communards, et le Palais-Royal rouvre tandis que Mac-Mahon préside la République. Labiche va tenter encore de divertir Perrichon, mais il ne lui pardonne pas sa déroute. Après la révolution de 1848 c'est aux révolutionnaires qu'il s'en prenait ; il va maintenant s'acharner contre les bourgeois, qui ont exhibé leur faiblesse, avec l'obstination de l'enfant qui, obsédé par la « chute » des parents démasqués, change son amour en haine mais ne peut changer d'objet. Ces monstres d'égoïsme et de bêtise qu'il fustigeait affectueusement tant qu'il ne doutait pas de leur force, il va leur faire payer la peur qu'ils n'ont pas su lui épargner en leur renvoyant d'eux une image grimaçante. Mais au théâtre on ne montre jamais que ses propres grimaces.

Tout se passe d'ailleurs comme si Labiche avait décidé de ne rien changer à ses habitudes sous prétexte que guerre étrangère et guerre civile prétendaient les bouleverser. *Il est de la police,* représenté en mai 1872, reprend deux thèmes familiers : confusion des sexes, comme dans *Maman Sabouleux,* peur du passé comme dans... la plupart des pièces, la dernière en date et la plus explicite étant *Le Dossier de Rosafol.*

« Catherine », la nouvelle cuisinière des Graindor, est en réalité un solide gaillard dont la mère, soucieuse de lui épargner le service militaire et les mutilations qui peuvent s'ensuivre, a travesti le sexe aux yeux de l'état civil. « *Et me voilà, à vingt ans... à la tête d'un sexe qui n'est pas le mien* » (scène 4), soupire

Catherine qu'émeuvent indifféremment les charmes de Madame Graindor et ceux de la femme de chambre. Tandis que Catherine croit partout reconnaître un gendarme averti de sa supercherie et chargé de l'arrêter, Graindor, « *inspecteur de la compagnie des petites voitures* » — on n'est plus carrossier sous la République — craint que cette cuisinière trop virile ne soit un policier déguisé et, pour n'être pas reconnu, porte perruque. Car, ainsi que Gatinais d'*Un pied dans le crime*, Graindor a malgré lui participé à une aventure politique :

JULIE [Madame Graindor] : *Tiens ! tu t'es mis en blond ?*

GRAINDOR : *Pour ne pas être reconnu.*

JULIE : *Parle... Qu'est-il arrivé ?*

GRAINDOR : *Une chose... sinistre ! je suis compromis !... moi qui ne me mêle jamais de politique, c'est vrai, je n'ai jamais voulu avoir d'opinion... pour ne pas en changer... Eh bien ! me voilà fourré dans un complot !*

JULIE : *Toi ! allons donc !*

GRAINDOR : *Ne ris pas. J'étais sorti bien tranquillement après mon déjeuner pour assister à une conférence sur les compteurs électriques... je suis inspecteur de la compagnie des petites voitures, ça m'intéressait. J'entre... et je me trouve au milieu d'une société de gens mal mis, je me dis : ce sont des cochers... et je me place au pied de l'estrade pour mieux entendre. On désigne plusieurs personnes pour présider... tout le monde refuse... alors, comme la conférence menaçait de ne pas s'ouvrir, je me propose...*

JULIE : *Tu as toujours la rage de te mettre en avant.*

GRAINDOR : *Je monte au bureau... on m'acclame, et j'entends dire, de tous côtés : Bravo ! c'est un bon zigue !... Cette qualification m'étonne... mais j'ouvre* la séance. Le conférencier paraît à la tribune... c'était un jeune homme pâle... à la tenue négligée... Je vis tout de suite que je n'avais pas affaire à un poseur... pas de pince-nez... pas de gants, pas de mouchoir de batiste, ni autre, les cheveux incultes... et les mains sans prétentions. Je me dis : C'est un savant, nous allons voir ce qu'il pense du compteur électrique... Il commence : « Citoyens !... nous avons à choisir un candidat... N'en faut pas ! » Je l'invite poliment à rentrer dans la question ; il me répond : « Toi, tu m'embêtes ! » Je lui inflige un rappel à l'ordre ; l'assemblée me siffle. Je m'aperçois que je présidais une réunion électorale foncée !

JULIE : Allons, bien ! te voilà président de club !

GRAINDOR : Le tumulte grandit avec les propositions les plus insensées... le commissaire se lève et dissout la réunion... je me dis : Très bien ! Allons-nous-en ! Ah bien, oui ! l'assemblée proteste et se déclare en permanence... nous voilà en permanence...

JULIE : Toi aussi ?

GRAINDOR : Comme les autres... puisque je présidais. On rédige une protestation... qu'on me donne à signer le premier... Je veux refuser... lorsqu'un grand olibrius au regard jaune me dit : Pas de manières ! Alors je signe...

JULIE : Imprudent !

GRAINDOR : Je signe Manlius !... un faux nom ! mais cela ne me sauvera pas... le commissaire a pris des notes. Je suis revenu ici par des rues détournées... mais je sens que j'ai été filé... tu sais, ça se sent... on ne voit personne derrière soi... on sent qu'on est filé.

JULIE : Ah ! mon pauvre ami ! dans quel guêpier t'es-tu fourré ?

GRAINDOR : Il est certain que la police va faire une descente chez moi... fouiller mes papiers... Si on me demande, tu diras que je suis à Maubeuge, depuis quinze jours... Ça me fera un alibi...

JULIE : Sois tranquille... nous te cacherons.

GRAINDOR : *Ah ! ma pauvre Julie ! il est dur à mon âge de devenir un homme politique... quand on n'a jamais rien fait pour ça...* (scène 7).

Traqué, Graindor soudoie Catherine en croyant acheter le silence de la police. Un ancien amant de Julie, venu rechercher des lettres compromettantes, passe également pour policier. Le sempiternel chassé-croisé a repris de plus belle, mais le poursuiveur-poursuivi n'est plus que poursuivi, il a perdu le droit de poursuivre et celui de parader. La lâcheté de Graindor ne se dissimule plus, comme celle des Perrichon, sous une rhétorique attendrissante ; le besoin qu'il a de ses semblables ne se fait plus passer pour sentiment.

Pigeonneau, père abusif de *La Mémoire d'Hortense,* ne permet pas plus que Graindor une identification satisfaisante aux spectateurs d'après-guerre. Cette Hortense, qui est morte, n'était qu'une fille adoptive et les circonstances de l'adoption, autant que ses vicissitudes, se résument vite :

« *Moi, je n'ai jamais voulu me marier... je trouve ça contraire à la nature... Mais, à quarante-quatre ans, j'eus un lumbago... Obligé de garder la chambre... Tout seul, je fis des réflexions et je me dis qu'un petit bébé ne ferait pas mal dans mon paysage... Alors, j'adoptai la fille d'un de mes concierges... une petite créature rose et blonde... mais, au bout de six mois, elle était devenue rouge... Ma parole d'honneur, je crois qu'ils l'avaient fait teindre pour m'amorcer... et puis, elle se mit à allonger... à allonger... cinq pieds sept pouces !... je n'osais pas la sortir* » (scène 1).

Suite d'un lumbago, pas même d'un « premier lit », l'impossible Hortense a pourtant trouvé un mari, Emile, « *un ange de douceur, de bonté, de complaisance* ». Aux yeux de Pigeonneau, « *il n'avait qu'un défaut [...], sa femme !* (*S'attendrissant :*)

Hélas ! la pauvre enfant nous a quittés !... moisson-
née à la fleur de l'âge » (scène 1).

Si Emile doit rester fidèle à « la mémoire d'Hortense » en ne se mariant pas, c'est pour satisfaire
des demandes bien précises de Pigeonneau : « ... *ne
jamais me quitter... faire mon domino tous les soirs,
et [...] me tenir compagnie à table... parce que je
n'aime pas à manger seul* » (scène 1).

Ainsi ce fameux « égoïsme » que Labiche aimait à
débusquer sous les proclamations d'amour paternel,
filial, conjugal ou extra-conjugal est maintenant donné
d'emblée, sans que la salle et la scène aient à échan-
ger le clin d'œil finaud qui les rendait complices. Le
public boude. En un temps où il a besoin d'être rasséréné, et fait fête à un théâtre qui lui prête une
noblesse et un courage totalement irréels, comment
prendrait-il plaisir au déballage hargneux et ricanant
de ses faiblesses ? Toute vérité n'est pas bonne à
dire : c'est d'ailleurs de cet adage que vont discuter
les protagonistes de *Doit-on le dire ?* Le secret à
garder ou à divulguer n'est autre, une fois de plus,
que l'adultère. Mais les unions illégitimes, passées
dans les mœurs, viennent de loin : à la fois du fond
des âges et de la moderne Amérique. Le Marquis
Inès de Papaguanos est mieux intégré à la société
parisienne que Track de *Deux merles blancs*, puisqu'il passe pour l'époux légitime de Blanche. Faux
mari, il est en revanche le vrai père de Lucie, qu'il
fait passer pour sa nièce. Et, contraint soudain de
dire la vérité, il conte à Gargaret, qui vient d'épouser
Lucie, l'étrange et « naturel » accouplement dont la
jeune fille est issue :

Le Marquis : *Mon ami, je vous ai fardé la vérité...
Ma nièce... n'est pas ma nièce !*

Gargaret : *Comment ! Ma femme ?...*

Le Marquis : *Est un jeu de l'amour et du hasard...
c'est ma fille !*

GARGARET, vexé : *Oh! sapristi! vous auriez dû me dire cela plus tôt...*

LE MARQUIS : *Non... vous n'auriez peut-être pas voulu l'épouser.*

GARGARET : *Eh bien, mais... j'espère au moins que la mère était une femme honorable... malgré sa faute.*

LE MARQUIS : *Elle ? c'était une drôlesse de la pire espèce... une danseuse de corde, qui changeait d'affection comme de balancier.*

GARGARET : *Saperlotte ! vous auriez dû me dire ça plus tôt !*

LE MARQUIS : *Je la connus en Amérique... j'en devins fort épris... Un jour qu'elle devait traverser le Niagara sur une corde tendue... elle me proposa de m'asseoir dans la brouette qu'elle poussait devant elle et de partager son triomphe... C'était un caprice de jolie femme... Je m'y soumis... Une foule immense nous regardait d'en bas... Parvenue au milieu de notre trajet, elle s'arrêta et elle me dit : « Inès, je t'aime. Veux-tu m'épouser ? » J'avoue que cette demande en mariage faite dans un pareil moment me fit hésiter... Alors elle ajouta : « Si tu refuses, je te jette dans le trou avec la brouette ! » J'acceptai immédiatement...*

GARGARET, vivement : *Vous l'avez épousée ?*

LE MARQUIS : *Non... Arrivé à l'autre bord, je lui administrai une volée de coups de cravache... d'où naquit un enfant... C'est votre femme !* (I, 13).

Avec *Doit-on le dire ?*, Labiche essaye un procédé nouveau, dont la séduction va parfois opérer par surprise : l'utilisation du non-sens, non plus intercalé comme par mégarde dans une histoire relativement plausible, mais pris comme seul mobile de l'action. Ce que peuvent avoir d'incroyable les retrouvailles et répétitions, coïncidences, reconnaissances vraies ou fausses, luttes meurtrières et réconciliations sans nombre, dont l'imbroglio rend la pièce impossible à raconter, est souligné par l'extravagance du discours, au point d'imposer comme réalité théâtrale le jeu des mots et leur charge de rire, sans référence à la « psychologie ».

C'est ainsi que Muserolle, champion de la vérité au même titre que l'avocat intègre du *Dossier de Rosafol,* illustre par une métaphore de basse-cour les traîtrises de l'adultère :

MUSEROLLE : *Messieurs, il y avait une fois un coq qui couvait...*

LE MARQUIS : *Mais les coqs ne couvent pas !*

MUSEROLLE : *C'est une supposition... Un soi-disant ami de la maison lui fourre dans son nid un œuf de cane ; il amène onze petits poulets... dont un canard ; il élève ce fruit d'une provenance étrangère avec ses propres poussins, il le nourrit de son lait...*

LE MARQUIS : *Les coqs n'ont pas de lait, ce sont les poules !*

MUSEROLLE, se fâchant : *Mais puisque c'est une supposition ! Savez-vous ce que c'est qu'une supposition ?* (II, 9).

Le marquis, si naïvement attaché à la vraisemblance, est d'ailleurs facile à berner. Comme il s'indigne à la lecture d'une lettre où il est traité cavalièrement, Muserolle a vite fait de le rassurer :

LE MARQUIS, lisant : « *Quant au marquis, c'est un singe* »...

MUSEROLLE : *Un songe ! Voyez, il y a un point sur l'o.*

LE MARQUIS, se calmant : *C'est juste...* (Lisant :) « *Un songe dont nous respecterons le sommeil* »... (S'arrêtant :) *Avec singe, ça n'aurait pas de sens* (III, 15).

Rien n'a de « sens », au surplus, dans *Doit-on le dire ?,* mais les gags y succèdent aux gags, sans aucune nécessité que celle du rythme.

Avec *29° à l'ombre* (l'une des quatre pièces écrites sans collaboration), Labiche au contraire renonce à forcer l'attention par un mouvement perpétuel : il s'en remet au langage et à lui seul pour montrer successivement, en un acte court, l'ennui, ce qui rompant l'ennui secoue dangereusement une petite société assoupie, et le retour bénéfique de l'ennui.

Dimanche après-midi d'été, dans la « campagne » de Pomadour, où ses amis Piget et Courtin — celui-ci ayant amené un certain Adolphe rencontré par hasard — jouent au tonneau pour tuer le temps. La chaleur est accablante : « *Ce n'est pas pour me vanter... mais il fait joliment chaud aujourd'hui* » (scène 1), lance Piget... Profitant de l'inattention, de la chaleur et du bon vin, Adolphe, on l'apprend soudain, a donné dix baisers à Madame Pomadour, qui semble à vrai dire n'avoir pas réagi, envahie qu'elle est par la nonchalance générale. Pomadour indigné demande réparation, parle de duel, hésite, somme ses amis de l'aider à rendre un jugement équitable. Coup de théâtre : l'audace d'Adolphe qui récidive enlève soudain à l'affaire son caractère exceptionnel, et Pomadour, passant du tragique au quotidien, parle de dommages-intérêts. Mais va-t-il même affronter le ridicule d'un procès ? On mettra simplement Adolphe à l'amende avant de reprendre la partie de tonneau, où Adolphe et Pomadour jouent désormais « ensemble ».

Il ne se passe rien dans *29° à l'ombre,* rien sinon un curieux changement de vocabulaire et, pourrait-on dire, d'éclairage, lorsque Pomadour, abandonnant le ton du mari soupçonneux, prend celui de l'avocat général :

POMADOUR, se levant : *Ainsi, messieurs, vous le remarquez sans doute comme moi... pendant ce long espace de temps qui est nécessaire pour perpétrer dix baisers, le remords n'a pu trouver une minute, une*

seconde pour se faire jour dans la conscience du pré-
venu... Rien! pas un éclair!... Tout cela est bien
triste.

Il se rassied (scène 6).

Le désir d'être juge, et non partie, est vite étouffé
chez Pomadour ; de même Labiche, renonçant à la
sobriété, s'empresse de revenir à sa tactique de séduction, qui signifie maintenant surenchère plus que
renouvellement. Comme s'il ne voulait pas voir que
l'opérette ou l'opéra-comique burlesques ont perdu
leur prestige, il s'adjoint des collaborateurs tels
qu'Alfred Duru (cosignataire déjà de *Doit-on le dire ?*)
et Philippe Gille, qui ont l'un et l'autre fourni des
livrets à Offenbach. Et il attend de *Madame est trop
belle,* écrite avec Duru, un regain de succès. Déception, attribuée par lui au fait qu'il « réussit » depuis
trop longtemps. Mais, plus peut-être qu'à la monotonie, le public est hostile au changement profond
que laisse percevoir *Madame est trop belle.* Chambrelan, père amoureux mais réaliste, se fait entremetteur
plutôt que de laisser à son gendre la possession de
Jeanne et les possibilités de domination qu'elle lui
offre. Et il est incontestablement « le plus heureux des
trois », lui qui accepte toutes les compromissions.
C'est au Louvre, dans une salle du Musée des
Antiques, qu'a lieu la présentation des fiancés. Le
banquier Montgiscar a organisé la rencontre entre son
neveu Jules de Clercy et la belle Jeanne Chambrelan
accompagnée de son père. Au cours de ce premier
entretien, on brise par mégarde le bras de la statue
de Pollux. Mieux vaut recoller la statue que de déclarer l'accident (« *Pour qu'on nous fasse payer la statue entière !* », I, 8); et le mariage se fait sous le
signe du rafistolage. Huit jours plus tard, la jeune
mariée est transformée par son père en vedette dont
il tient à jour le carnet de bal. Clercy s'en inquiète :

— ... *Vraiment, beau-père, à vous entendre, on croirait que ma femme est une actrice qui monte sur les planches.*

CHAMBRELAN : *Le monde n'est-il pas un théâtre ?* (III, 2).

Théâtre en effet que ce bal où Chambrelan fait mettre aux enchères le bouquet de Jeanne, et où Montgiscar autorise Moulinot, son vieux teneur de livres, à « *faire comme tout le monde* » pour un soir. Clercy, réduit par Chambrelan au rôle de figurant, constate bientôt que pour son oncle Montgiscar il n'est qu'un pâle substitut d'Ernest Montgiscar, fils idolâtré du banquier, et, par surcroît, amoureux de Jeanne depuis une romantique rencontre à Naples. Voici comment les deux pères, une fois découverte la passion d'Ernest, exposent au jeune couple la conduite à tenir :

MONTGISCAR : *Ah ! si vous saviez la découverte que je viens de faire... Ernest...*

CLERCY : *Mon cousin ? Eh bien ?*

MONTGISCAR : *Mon ami, il aime ta femme !*

CLERCY : *Lui ! allons donc ! c'est impossible !*

CHAMBRELAN : *Pourquoi donc, impossible ?*

CLERCY : *Un camarade... un ami !...*

Jeanne va s'asseoir à gauche.

MONTGISCAR : *Il en est amoureux comme un fou, comme un possédé... et moi, ça ne me va pas !*

CLERCY : *A moi non plus, parbleu !*

MONTGISCAR : *Voilà pourquoi il a refusé la main de la petite Burnett, Baring et Cie.*

JEANNE, à part : *Pauvre garçon !*

MONTGISCAR : *Et il m'a déclaré tout net qu'il ne se marierait jamais... jamais !... jamais !*

CLERCY : *C'est une folie... un enfantillage...*

MONTGISCAR : *Et le bouquet !... le bouquet... c'est lui qui l'a poussé, c'est moi qui l'ai payé... mille cinq cents francs de perdus ! et maintenant il le contem-*

ple, il lui parle, il lui envoie des baisers... comme à une femme.

CHAMBRELAN, à part, indiquant Jeanne : *Encore une existence broyée sous les roues de son char !*

CLERCY : *Ceci ne peut être sérieux, il faut user de votre autorité, le raisonner...*

MONTGISCAR : *J'ai déjà commencé... Je lui ai dit : « Voyons, en supposant que ta cousine consente à se laisser fléchir »...*

CLERCY : *Hein ?*

JEANNE : *Par exemple !*

MONTGISCAR : *C'est une supposition... il me semble qu'elle n'a rien d'invraisemblable, quand on considère les avantages de mon fils Ernest...*

CLERCY : *C'est aimable pour moi...*

MONTGISCAR : *J'ai été plus loin... Je l'ai poussé dans ses derniers retranchements... j'ai ajouté : « Ta cousine te cède... je l'admets ! Très bien ! »*

CLERCY, se récriant : *Comment ! très bien !*

MONTGISCAR, continuant : *« Et après ? Songe aux conséquences... Je ne parle pas du mari, qui ne le saura pas... mais où cela te conduira-t-il ? A une de ces liaisons bâtardes, à un de ces ménages à trois, qui enchaînent à tout jamais l'avenir d'un jeune homme... Ernest, pense au monde qui te regarde, pense à ton père, à ton malheureux père... »*

CLERCY : *Et à ton cousin.*

MONTGISCAR : *Non, je n'ai pas parlé du cousin...*

CLERCY : *Vous avez eu tort... Certainement, je suis bon garçon... mais je suis homme à lui mettre trois pouces de fer dans la poitrine.*

MONTGISCAR, vivement : *Ah ! Jules ! tu ne ferais pas cela... Un duel en famille... avec mon enfant...*

CLERCY : *Que votre enfant reste chez lui !*

MONTGISCAR : *Ecoutez... aux grands maux les grands remèdes... il faut couper le mal dans sa racine... Vous allez m'aider.* (A Jeanne :) *Vous surtout.*

JEANNE, qui s'est levée : *Moi ! Que faut-il faire ?*

MONTGISCAR : *Il faut lui défendre votre porte...
il ne faut plus le voir...*

CHAMBRELAN : *A la bonne heure !... parce que s'il
la voit... c'est fatal !*

MONTGISCAR : *Il vous a envoyé une loge pour les
Italiens... Je le sais... Eh bien ! je vous demande,
comme un service, de ne pas y aller.*

JEANNE : *Ah ! ça, bien volontiers !*

CLERCY : *J'accorde.*

CHAMBRELAN, à part : *Comme c'est agréable !*

MONTGISCAR, à Jeanne : *Et si, malgré toutes vos
précautions, le hasard vous le faisait rencontrer, soyez
implacable, soyez impitoyable ! Dites-lui qu'il n'a rien
à espérer, que vous ne manquerez jamais à vos devoirs.*

CLERCY : *Très bien !*

MONTGISCAR, continuant : *Ajoutez même que vous
aimez votre mari... Allez jusque-là.*

CLERCY : *Comment ! Jusque-là !*

MONTGISCAR : *Ça lui fera de la peine, je le sais
bien, mais tant pis ! c'est pour le sauver !* (III, 3).

Face à Ernest, au moins, Clercy retrouve un instant
la combativité qui sied aux maris. Combativité de
mauvais goût qui, à vrai dire, dépasse les limites
permises, puisqu'Ernest est mis en demeure de réaliser un prétendu projet de suicide :

CLERCY, avec calme : *Au fait... tu as peut-être raison... Je ne peux pas t'offrir ma femme... D'un autre
côté, tu ne peux pas y renoncer.*

ERNEST : *Oh !*

CLERCY : *Non... je ne te le demande pas.* (Lui
tendant le revolver :) *Il n'y a donc que ce moyen
d'en sortir.*

ERNEST : *Donne.*

CLERCY, examinant l'arme : *Attends !... je crois
que tu as oublié les cartouches.*

ERNEST, décontenancé : *Ah ! vraiment !... Le trouble...*

CLERCY : *C'est bien naturel... dans ces moments-là on ne pense pas à tout... on veut se tuer... on oublie les cartouches... C'est bien naturel...*

ERNEST, tendant la main : *J'en ai chez moi.*

CLERCY : *Ne te dérange donc pas... J'en ai aussi là, dans mon tiroir.* (Il s'assied devant la table et ouvre le tiroir.) *Je t'en mets quatre... En veux-tu six ?... Je t'en mets six.*

ERNEST, à part : *Sapristi !*

CLERCY, lui tendant le revolver après l'avoir chargé : *Tiens !... va !... je ne regarderai pas... je suis trop sensible !* (III, 14).

Mais Ernest ne se tue pas et Clercy capitule, sa seule vengeance consistant à souligner le ridicule des tentatives avortées : « *Ces dames ne t'appelleront plus que le monsieur qui ne se tue pas* » (III, 14).

La haine de Fadinard pour Bobin, légère comme un chapeau envolé, pèse chez les Clercy aussi lourd qu'une statue du Musée des Antiques, et les esclandres de Nonancourt étaient moins nocifs que les « douceurs » quotidiennes de Chambrelan : commentant l'absence de Jeanne sortie avec son père, Clercy murmure, tout naturellement : « *Je suis sûr qu'ils vont acheter mystérieusement un baba... Le beau-père les adore, moi, ça m'étouffe... alors nous en mangeons souvent* » (III, 5). L'inconsciente clairvoyance du gaffeur fait place ici à la logique délirante du persécuté.

Pour mieux étouffer ses futurs gendres, Trempard les reçoit dans sa cave, où il met en bouteilles *La Pièce de Chambertin.* Edmond et Navaro, les deux prétendus de Lucida, ne s'embarrassent pas, comme ceux d'Henriette Perrichon, de subtilités et de politesses : ils mettent à l'aise Trempard qu'effrayait leur rivalité et se plient volontiers à son interrogatoire,

145

lequel n'évoque que de très loin les pièges bien camouflés du Major Cravachon :

TREMPARD : *Deux compétiteurs se présentent pour épouser ma fille... mon devoir est de les interroger avec une froide équité... Je mettrai dans la balance les défauts de l'un avec les vices de l'autre... je pèserai le tout et ensuite je prendrai une décision... Donnez-vous la peine de vous asseoir.*

Tous les trois s'asseyent, Trempard occupe le milieu.

NAVARO, assis : *Je vous demanderai la permission d'incendier une cigarette ?*

TREMPARD : *Faites donc... Je suis obligé, messieurs, de vous poser quelques questions indiscrètes... J'ai toujours pensé, dans l'intérêt de la race, qu'on ne devait accoupler que des êtres parfaitement constitués... et issus de parents solides... Quant à moi, j'aimerais mieux donner cinquante mille francs de moins et avoir un gendre qui se porte bien.*

NAVARO : *Je vous demanderai la permission d'incendier une seconde cigarette ?*

TREMPARD : *Faites donc...* (A Navaro :) *Voyons, franchement, comment vous portez-vous ?*

NAVARO : *Ça ne va pas mal, je vous remercie.*

TREMPARD : *Sans vouloir vous désobliger... vous êtes d'une couleur un peu... jus de réglisse.*

NAVARO : *C'est le soleil de l'Andalousie...*

TREMPARD : *Vous n'avez pas eu à constater, parmi vos ancêtres, quelques-unes de ces infirmités qui se transmettent de générations en générations ?*

NAVARO : *Non... je ne vois pas...*

TREMPARD : *Pas de goutte, de rhumatismes, de phtisie ?*

NAVARO : *Jamais !*

TREMPARD, à Edmond : *Et vous ?*

EDMOND, se levant : *Moi, monsieur, je suis Auvergnat.*

146

TREMPARD, vivement : *Auvergnat ! Ça suffit... asseyez-vous... Tout le monde sait que les Auvergnats ont été bâtis par les Romains.*

NAVARO : *Je vous demanderai la permission d'incendier une troisième cigarette ?*

TREMPARD : *Jeune homme, vous fumez trop... ça altère la mémoire.*

NAVARO : *Oh ! moi, ça ne me fait rien.*

TREMPARD : *Vous croyez ça... Tenez, je vais vous coller, comme on dit dans les salons de la rive gauche, je vais vous coller avec une simple date... Nous allons voir ! En quelle année a eu lieu la révolution de 1830 ?*

NAVARO, embarrassé : *Dame... en 48.*

TREMPARD : *Vous voyez bien... vous fumez trop...* (A Navaro, en souriant et très aimable :) *De quoi est mort Monsieur votre père ?*

NAVARO : *Le marquis ? Mais il respire toujours !*

TREMPARD : *Ah ! c'est fâcheux ! très fâcheux !... nous aurions pu savoir...* (Très aimable :) *J'espère au moins que Madame votre mère...*

NAVARO : *La marquise ? Elle se porte comme l'Escurial !*

TREMPARD, avec un petit ton de reproche : *Elle aussi... Je le regrette.* (A Edmond :) *Et vous ?*

EDMOND, se levant : *Monsieur, mon père était Auvergnat.*

TREMPARD : *Très bien ! Ça suffit... asseyez-vous !* (A Navaro :) *Puisque vous avez le bonheur d'avoir encore votre père... faites-moi part de ses petites infirmités... On penche toujours d'un côté... Voyons, franchement, de quel côté penche-t-il ?*

NAVARO : *Mais il ne penche pas du tout... c'est un robuste marin... toujours en voyage... et s'il n'avait pas eu un ami intime... le capitaine Zamaguiberry... ma pauvre mère eût été bien seule... Ce brave capitaine, il ne quittait pas la marquise d'une minute...*

TREMPARD : *Tiens ! tiens !*

NAVARO : *Et quand je suis venu au monde, mon père était absent ; en me berçant, le capitaine pleurait...*

TREMPARD : *Ah ! ah !... Et comment se portait-il, le capitaine Zamaguiberry ?* (scène 13).

Satisfait en fin de compte par les réponses des candidats, qui tous deux en outre acceptent ses caprices concernant le versement de la dot, Trempard reste perplexe : « *Vous me plaisez tous les deux... vous acceptez mes conditions, l'un est auvergnat, l'autre est andalou... Tout ça me va... Malheureusement, je n'ai qu'une fille...* » (scène 13).

Si le père a perdu toute retenue, la fille hésite encore à imposer sa volonté. Elle a tort : Lucida, en déclarant qu'elle n'aime ni Edmond ni Navaro, mais son cousin Hector, ne rencontre aucune résistance. Trempard est déjà bien assez absorbé par la scène qu'il fait à sa femme. Madame Trempard en effet, qui est sourde, a pris pour elle les déclarations d'amour que lui adressait à l'intention de sa fille un troisième prétendant :

TREMPARD : *A ton âge, je me croyais sauvé.*

MADAME TREMPARD : *Je suis encore pure !*

TREMPARD : *Je l'espère bien... mais ce monsieur ne se serait pas permis de t'aimer si tu ne lui avais pas fait des avances, des agaceries...*

MADAME TREMPARD : *Hein ?*

TREMPARD, lui criant dans l'oreille : *Des agaceries !* (Ton naturel :) *Parce que quand une femme sait se tenir à sa place...*

MADAME TREMPARD : *Hein ?*

TREMPARD : *Ah ! c'est impossible de s'expliquer comme ça... Oh ! ma surprise ! Je ne voulais la lui donner qu'au dessert.* (Il remonte au fond. Madame Trempard passe à gauche. Il tire de la poche de sa redingote un cornet acoustique.) *A nous deux, maintenant.*

MADAME TREMPARD, effrayée : *Oh ! ne me fais pas de mal !*

TREMPARD, descendant : *Ne crains rien... c'est un cornet acoustique... pour ta fête.* (Le plaçant près de l'oreille de sa femme :) *Il est temps de nous expliquer, madame !*

MADAME TREMPARD : *Je te jure que je suis innocente...*

TREMPARD, parlant dans le cornet : *Innocente... Je ne suis pas dupe de vos manèges !*

MADAME TREMPARD, blessée : *Monsieur !*

TREMPARD, parlant dans le cornet : *A votre âge ! une mère de famille ! Fi, fi, madame !*

MADAME TREMPARD : *Mais si j'étais coupable, je ne te préviendrais pas... Tu es un ingrat.*

TREMPARD : *Un ingrat !* (Dans le cornet :) *Et vous une coquette ! une coureuse ! une cocotte !*

MADAME TREMPARD : *Cocotte !* (Retournant le cornet et le plaçant près de l'oreille de son mari, parlant dans le cornet :) *Votre conduite est indigne !*

TREMPARD, écartant le cornet : *Mais je ne suis pas sourd !*

MADAME TREMPARD, dans le cornet : *Vous me manquez de respect !*

TREMPARD, dans le cornet : *On ne respecte que les femmes respectables !*

MADAME TREMPARD, retournant le cornet : *Puisqu'il en est ainsi, je me retire chez ma mère !*

TREMPARD, retournant le cornet : *Allez ! Je paie le fiacre !* (scène 15).

Une fois de plus Labiche, dominant peu à peu sa fureur d'enfant trahi, a trouvé, à la faveur d'un bouleversement social qu'il déplore — et qu'il invente pour une part, croyant définitive la démission d'une classe qui au contraire met sur pied de nouvelles formes de lutte — un nouveau ressort comique. De même que le cornet acoustique de Madame Trempard, les situations se retournent, et le rire complice devient fou rire, celui qui jaillit en pleine catastrophe. Dans un monde « renversé » le resurgissement des anciens conflits n'est que plus drôle.

Les Samedis de Madame, à première vue pure et simple récapitulation, ne sont, pas plus que *La Pièce de Chambertin,* pure et simple répétition. On y dit clairement tout ce qui jadis était suggéré. Hermance, quittant le deuil de son mari, a fait décrocher le portrait du défunt et épousé son amant Léon : on évoque *Le Clou aux maris.* Savouret, père d'Hermance, a reporté sur la paysanne Rose l'amour qu'il n'ose avoir pour sa fille et, tel Montenfriche avec sa bonne Nanette, se comporte en soupirant honteux. Enfin, comme le Major Cravachon, Savouret a subi de la part de Léon un affront qui eût dû se laver dans le sang. Mais justement, Savouret a capitulé, et le raconte gaiement ; Rose abandonne son maître pour un riche Portugais, et Savouret n'est qu'indulgence ; Hermance et Léon, surtout, découvrent, de façon plus grave que gauloise, que la cohabitation quotidienne tue le désir et que, pour rompre la monotonie des rapports conjugaux, ils doivent reprendre les rendez-vous clandestins d'avant le veuvage. Entre deux répétitions, ils choisissent la moins nocive. Mais déjà survient un soupirant qui, pour séduire Hermance, recourt au stratagème « inventé » jadis par Léon... Et l'on en rit à l'avance.

Continuant de réaménager les anciens schèmes, Labiche évite encore, avec *Les Trente millions de Gladiator,* l'ennui des recommencements. Gladiator, le millionnaire « *né sous les feux de l'Equateur* » (III, 11), reprend et enrichit le Brésilien d'Offenbach, le marquis Ines et l'Américain Track. Plus fort que Fadinard, il arrache à la trompe d'un éléphant le chapeau de la belle Suzanne. Et, sa fortune et ses origines barbares lui assurant toute liberté, il ne doute pas de la victoire :

GLADIATOR : *Vous comprenez, madame, qu'on n'absorbe pas impunément un soleil comme le nôtre et que les hommes de notre latitude portent en eux deux brasiers ardents !*

SUZANNE, souriant : *Ah ! mon Dieu !... mais vous me faites peur.*

GLADIATOR : *Je ne ris pas !... Ces deux brasiers s'appellent la tête et le cœur !*

SUZANNE, à part : *Il va me faire sa demande.*

GLADIATOR : *Je vous ai vue, madame ! J'ai vu vos cheveux, ils tiennent ! Votre jambe !... c'est un monde !* (III, 2).

Conquête facile, puisque Suzanne n'est qu'une femme entretenue. Seul Gladiator est assez naïf pour s'y tromper, et aussi pour voir en Eusèbe Potasse, garçon de pharmacie aux allures de « merle blanc », un prétendant aristocratique. Devant Gladiator, Eusèbe lui-même, oubliant qu'il est timide, peut afficher sa désinvolture d'Européen face à un « sous-développé » :

EUSÈBE : *Etiez-vous aux courses... hier ?*

GLADIATOR : *Certainement ! J'aime le cheval... Et vous ?*

EUSÈBE : *Passionnément !... Surtout les chevaux russes... je les préfère aux anglais.*

GLADIATOR : *Ah !... pourquoi ?*

EUSÈBE : *Ils supportent mieux le froid !... Pour l'été, j'ai des chevaux du Sénégal ; ils supportent mieux le chaud...* (III, 8).

Mais l'insouciance, garantie par le monde « faux » des femmes légères, ne résiste pas toujours à l'atmosphère des maisons familiales. *Un mouton à l'entresol* (1875), reprenant le sujet de *En pension chez son groom* (1856), fait peu de place à la bonhomie. Jean, valet de Chavarot (*En pension chez son groom*), a un crime sur la conscience : un jour qu'il conduisait sa charrette en état d'ébriété, il a écrasé vingt-trois moutons. Depuis, non seulement il redoute la justice des hommes, mais il élève dans l'appartement de son maître toute une basse-cour, afin d'expier la faute commise envers les animaux. Falingeard, lui (*Un mouton à l'entresol*), a tué un cheval en lui faisant une saignée intempestive. Il se cache maintenant chez les Fougallas où, loin de dorloter poules et lapins, il se livre sur la perruche et la tortue de sa maîtresse à des expériences vétérinaires, et réclame un mouton qui lui permettra de vérifier ses théories ; mouton qu'il obtiendra en menaçant Fougallas et sa femme de révéler leurs incartades. Le crime est payant pour les domestiques, et les patrons, lubriques plus qu'amoureux, prêts à payer au prix fort le silence des délinquants subalternes.

Curieux domestique aussi que Pionceux, du *Prix Martin*. Sa qualité de « parent pauvre » l'autorise, comme Laurent de *L'Article 960*, à des familiarités impertinentes vis-à-vis de son patron Ferdinand Martin, dont il se dit le frère de lait. En toute occasion Martin s'entend rappeler la nourrice commune, qu'il aurait tendance à renier au profit d'un « parent riche », Don Hernandez Martinez, image sauvagement virile de lui-même. Pris entre ces deux doubles antagonistes, Martin trouve volontiers refuge auprès d'Agénor, amant de sa femme Loïsa, mais tourmenté car il s'est mis « *à aimer le mari et à ne plus aimer la femme* ». Hernandez découvre la liaison, en informe Martin ; et, comme celui-ci répugne à confondre Agénor, c'est l' « Espagnol » qui se charge de l'affaire, avec d'autant plus d'énergie que, malgré son mariage outre-Atlantique avec une « reine des Peaux-Rouges », il s'intéresse violemment à Loïsa. Tandis que le pauvre Agénor cherche désespérément le moyen d'éloigner de lui Loïsa, fût-ce en lui exhibant ses fausses dents et sa perruque, Martin et Hernandez décident un voyage en Suisse, dont on profitera pour jeter Agénor dans le « gouffre de la Handeck ». Comme Agénor tombe malade aux abords du gouffre, Martin n'ose pas le pousser ; il n'ose pas non plus, suivant la suggestion d'Hernandez, l'empoisonner au laudanum, car « *il n'y a que Dieu qui ait le droit de tuer son semblable* » (II, 10). Exaspéré par tant de lâcheté, et aussi par le charme de Loïsa, Hernandez décide de supprimer lui-même Agénor, qui du reste l'a gravement offensé en le traitant de « *faux sauvage* ». Le duel, qui doit se faire « *à l'américaine* », n'aura finalement pas lieu car Hernandez, déguisé en buisson pour surprendre l'adversaire, rencontre à point nommé Loïsa, et l'affole si bien en lui annonçant que Martin « sait tout », qu'elle le supplie elle-même de l'emmener. Martin survient et les trouve aux bras l'un de l'autre, mais, contrairement à Agénor, apparu au même instant et qui parle de mettre au point une « vengeance raffinée », il se réjouit de pouvoir envoyer son épouse chez les Peaux-Rouges. Débarrassés de la femme qui les importunait l'un et l'autre, Agénor et Martin n'ont plus qu'à se réconcilier, et à reprendre la partie de bésigue qu'ils disputaient au lever du rideau (« *Avec le bésigue, nous tuons agréablement trois heures par jour, l'un dans l'autre* » (I, 1). Seule variante : Martin refuse maintenant à Agénor le droit de gagner, même s'il peut annoncer un « soixante de dames ».

De la partie de bésigue à la partie de tonneau qui ouvre et ferme *29° à l'ombre,* il n'y a pas loin ; mais les petites lâchetés de Pomadour ont fait place à une poltronnerie scandaleuse : Martin et Agénor livrent la femme encombrante au « sauvage » dont elle a besoin (« *le muscle, c'est l'homme* », dit le sauvage), plutôt que de renoncer au morne rapport homosexuel que symbolise soudain un échange de cadeaux :

AGÉNOR : *Avant de nous séparer, accordez-moi une dernière faveur.*

MARTIN : *Laquelle ?*

AGÉNOR, tirant le rond de serviette de sa poche et prenant une prise : *Acceptez mon rond.*

MARTIN, après une courte lutte, tirant une tabatière de sa poche et prenant une prise : *Soit... mais, comme il ne me convient pas d'être en reste avec vous... voici ma tabatière.*

Il la pose sur la table.

AGÉNOR : *Oh ! merci !* (Il la couvre de baisers.) *Elle ne me quittera plus !* (III, 15).

Résultat d'une collaboration avec l'académicien Emile Augier, *Le Prix Martin* montre assez à quel point Labiche, choisît-il un collaborateur prestigieux et un sujet édifiant (deux hommes renonçant à la femme porteuse de discorde pour sauvegarder leur mâle camaraderie), domine l'un et l'autre, et impose ses représentations personnelles, d'une vérité psychologique autrement profonde — et difficile à admettre — que celle des Marivaux de boulevard dont on vantait la subtilité. Malgré son respect grandissant pour l'Académie, Labiche commente sans indulgence la version que lui avait soumise Augier de la scène où Hernandez séduit Loïsa par la terreur : « *Cette femme qui apprend que son mari connaît sa trahison et qui se met à marivauder et à jouer une discrétion, me fait dresser de terreur les cheveux sur la tête. A cette révélation, elle n'a pas peur, elle se contente de dire :* « *Il savait tout... et il ne me tuait pas... le lâche !* » *C'est une héroïne de Corneille. Elle serait bien plus femme, bien plus vraie, et surtout bien plus Palais-Royal si elle était prise d'une vraie venette au lieu de faire de l'esprit avec son sauvage* [1]. »

---

1. Lettre du 16 octobre 1875 (Archives des descendants de Labiche), citée par Jacques Gilardeau dans *Eugène Labiche, Histoire d'une synthèse comique inespérée*, op. cit.

C'est bien de venette qu'il s'agit dans la version définitive, où une femme terrorisée par l'empoisonnement dont elle se croit menacée chez son mari parle de « retourner chez sa mère » en se jetant dans les bras du « sauvage », qui, du reste, la prie lui-même de ne pas « marivauder » :

HERNANDEZ : *[...] Votre mari sait tout...*

LOÏSA, étonnée : *Tout... quoi ?*

HERNANDEZ : *Eh bien... Agénor !*

LOÏSA : *C'est faux !... c'est une calomnie !*

HERNANDEZ : *Pas de marivaudage ! il a des preuves !*

LOÏSA : *Certaines ?*

HERNANDEZ : *Certaines !*

LOÏSA, effrayée, passant à droite : *Mais alors, je suis perdue !*

HERNANDEZ : *Ça m'en a l'air... Il est furieux... il rumine une vengeance dans la manière des Borgia.*

LOÏSA : *Ah ! mon Dieu !*

HERNANDEZ, à part : *Ça prend !* (Haut :) *Si vous m'en croyez, vous ne mangerez rien tant que vous serez en Europe.*

LOÏSA : *Merci bien !*

HERNANDEZ : *Excepté des œufs à la coque, parce qu'on ne peut rien fourrer dedans.*

LOÏSA, éperdue, passant à gauche : *Mais que faire ? que devenir ? Je ne peux pas rester ici !*

HERNANDEZ : *Je vous offre un asile ! Venez dans mes Etats.*

LOÏSA : *Ah ! non, c'est trop loin !*

HERNANDEZ, s'approchant d'elle : *Une promenade... toujours sur l'eau... Vous ne connaissez pas mon pays... Quelle nature ! le ciel est bleu, la mer est bleue, la terre est bleue... Vous serez continuellement en palanquin... et, la nuit, je vous donnerai quatre Indiens dans leur costume national, pour écarter les mouches de votre gracieux visage... Quant à la nourriture...*

Loïsa : *Oh ! ne parlons pas de ça !*

Hernandez, se jetant à ses genoux : *Dites un mot, señora, et je dépose mon trône à vos pieds.*

Loïsa : *Ah ! Hernandez... ne me tentez pas !* (Languissamment :) *Vous êtes donc veuf ?*

Hernandez, se relevant : *Hélas non !*

Loïsa, se relevant : *Vous m'offrez votre trône... Et votre femme ?*

Hernandez : *La reine ? J'ai pensé à elle... je lui donnerai une place dans ma lingerie... rien à faire !... Abandonnez-vous à moi, c'est le ciel que je vous ouvre.*

Loïsa : *Et mes devoirs ?*

Hernandez : *Lesquels ?*

Loïsa : *Je ne sais pas ce que je dis... vous me grisez, vous me charmez... et puisque mon mari a oublié sa mission, qui est de me protéger... don Hernandez, ramenez-moi chez ma mère !*

Hernandez, la serrant dans ses bras et l'embrassant : *Ta mère ! c'est moi qui serai ta mère ! c'est moi qui serai ta mère !* (III, 13).

156

X

LA CLEF DES CHAMPS

C'est avec *La Clé* qu'en janvier 1877 Labiche fait ses adieux au théâtre. Ni succès ni échec retentissant, *La Clé* ne fait apparemment que reprendre des thèmes depuis longtemps exploités. Les lieux de l'action n'ont guère non plus de quoi surprendre : on passe d'un salon honnête, celui des Rinçonnet, au salon malhonnête d'une fausse baronne, pour revenir chez les Rinçonnet (non sans un détour, il est vrai, par le Jardin d'Acclimatation, seulement évoqué dans *Les Trente millions de Gladiator*). Tous les personnages mis en place sont dès l'abord familiers, et logique une fois de plus dans sa déraison l'enchaînement des circonstances. Pourtant, à la lecture de cette pièce sans grandes surprises, on éprouve le même sentiment d' « inquiétante étrangeté » qu'en pénétrant dans une maison bien connue dont les meubles auraient imperceptiblement changé de place, et où l'espace se trouverait autrement distribué. Ce malaise du lecteur ne fait que refléter celui de Rinçonnet qui, tout au long de *La Clé*, s'efforce vainement de reconnaître son petit monde et lui-même. *La Clé* pourrait aussi bien s'intituler « le cauchemar de Rinçonnet », cauchemar d'autant plus angoissant qu'il se distingue à peine de la réalité.

Parce qu'il a fait des folies pour Christiana, Rinçonnet s'est vu retirer par sa femme Agathe la clef de la caisse — il reçoit chaque mois cent francs pour ses menus plaisirs — et celle de la chambre conjugale. Plus favorisé que lui, son neveu Agénor (« *heureux jeune homme... il a un père qui lui envoie de l'argent* », I, 5), hébergé chez les Rinçonnet, poursuit confortablement ses études de droit. Agénor pourtant n'est pas heureux et confie à l'oncle Rinçonnet, bien placé pour le comprendre, des « *aspirations* » qu'il ne sait comment satisfaire : toutes les femmes le troublent, il n'ose en approcher aucune. Il n'est pourtant pas difficile : « *Je ne tiens pas à la fortune, je ne tiens pas à la beauté, je ne tiens pas à la jeunesse, je ne tiens qu'à la distinction... et encore !* » (I, 5). Il se contenterait, dans son éclectisme, de la cuisinière Clapotte ou de la tante Agathe. Mais, à l'une comme à l'autre, il ne peut que dire, affolé par sa propre hardiesse : « *Quand je te vois... je te regarde... et quand je te regarde... je te vois* » (I, 6).

Arrive un inconnu : le banquier Cornador qui aurait par mégarde laissé tomber sa canne par le soupirail de la cave ; en réalité, Cornador a remarqué Agathe au théâtre et, abusé par son chignon de couleur « vénitienne », la prend pour une femme facile. Il ne fait en réclamant sa canne qu'utiliser un stratagème depuis longtemps mis au point pour s'introduire chez les femmes de son choix.

De même que Cornador se croit chez une demi-mondaine, de même Rinçonnet se croira entouré de princes russes et autres aristocrates dans le salon-tripot de la baronne, où l'entraîne Agénor et où ils rencontrent Cornador qui, lui, sachant où il est, fait preuve d'une grande prudence financière. Tandis qu'Agénor tente sans enthousiasme de séduire la baronne, Rinçonnet risque au jeu quelques centaines de francs empruntés à son neveu. Comme tout « pigeon », on le laisse d'abord gagner avant que, gris de champagne, il se fasse plumer par le prince russe. Une descente de police met fin à la partie, non aux illusions de Rinçonnet qui prend sa dette de jeu pour une dette d'honneur et croit sérieusement au bon droit du prince. Rendez-vous est pris au Jardin d'Acclimatation pour le remboursement. Rinçonnet, qui n'a pas un sou, trouve à terre le porte-cigares dans lequel Cornador, justement en promenade avec sa maîtresse — laquelle n'est autre que Christiana jadis entretenue par Rinçonnet — avait justement dissimulé onze mille francs. Le prince, à qui Rinçonnet offre non sans scrupule un cigare pris dans l'étui, voit les onze mille francs, les empoche et disparaît satisfait. Cornador cependant apprend que Rinçonnet a trouvé son porte-cigares, et il en exige la restitution. Où trouver les onze mille francs ? Comme Christiana vient à passer, Rinçonnet la reconnaît et se rappelant qu'elle lui a signé une reconnaissance de dette, espère un instant rentrer en possession des dix mille francs jadis prêtés par lui. Espoir vite déçu, et Cornador entraîne le « voleur » Rinçonnet dans un pavillon où il le fouille et le dénude « *comme devant le conseil de révision* ».

Rinçonnet, hagard et sans chemise, retrouve chez lui une Agathe irritée et un Agénor en livrée de groom : Agénor en effet, passant par hasard au Jardin d'Acclimatation, a été séduit par Christiana et pour pouvoir la suivre, tel Alidor de Boismouchy pour rester près de Rosa, s'est mis à son service. Oncle et neveu, interrogés tour à tour par Agathe, expliquent leur retard et leur bizarrerie vestimentaire par une étrange aventure qui leur serait advenue dans un établissement de bains. Agathe qu'ils n'ont pas convaincue va sévir, lorsque reparaît Cornador, décidé à se faire rendre coûte que coûte ses onze mille francs. Agathe donnera-t-elle oui ou non à Rinçonnet la clef de la caisse pour qu'il paye sa dette ? Oui, car le hasard a fait découvrir à Cornador que la maîtresse de son neveu Arthur, futur caissier de sa banque dont il surveille les excentricités financières et l'inconduite, n'est autre qu'Agathe. Celle-ci devra donc laisser son mari ouvrir la caisse, sous peine de se voir dénoncée par Cornador. Rinçonnet, ignorant l'infortune qui lui vaut cet heureux retournement, rembourse joyeusement son créancier. Quant à Agénor, renonçant aux

159

baronnes et aux gourgandines, il a profité de l'inattention générale pour séduire la cuisinière Clapotte, et apparaît triomphant, mais vêtu en marmiton. Le plaisir pour le jeune Agénor, le pouvoir pour le riche Cornador, rien pour Rinçonnet, qui a tout perdu sans contrepartie.

Alexandra, de *Si jamais je te pince,* pardonnait à Faribol son infidélité : Agathe ne cède qu'à un chantage justifié par sa propre inconduite. Alidor, de *Deux merles blancs,* gardait son innocence malgré les entreprises de Rosa son « idole ». Eusèbe, dans *La Bergère de la rue Monthabor,* devenait certes l'amant de la bonne, mais son frère Henri, artiste mais honnête, rétablissait par un mariage respectable l'honneur de la famille : Agénor, lui, n'a pas de double vertueux. Le richissime Gladiator fréquentait le salon d'une cocotte, non celui des bourgeois : Cornador ne distingue même pas l'un de l'autre. Seul son nom à consonance exotique semble indiquer, du reste, une origine étrangère : le millionnaire n'a pas de patrie. Cornador peut violer le domicile des petits rentiers et, insensible à leurs proclamations de respectabilité, les déculotter au besoin pour retrouver l'argent qu'ils lui dissimulent. Comment un Rinçonnet garderait-il la tête froide, comment pourrait-il surveiller les relations de sa femme et les amours de son neveu, comment oserait-il parler de morale, lui qui confie son argent à une tenancière de tripot et croit à la parole d'une cocotte ? Les bourgeois d'*On dira des bêtises,* en se trompant de salon, passaient une soirée d'insouciance sans lendemain : Rinçonnet chez la baronne ne retrouve, caricaturée, que sa condition de petit épargnant « jobard ». Et comme il a perdu jusqu'à sa méfiance, vertu indispensable au bourgeois, Christiana n'a aucune peine à lui tirer des larmes et à lui extorquer son dernier billet de banque, par un récit qu'elle n'essaie même pas de rendre plausible :

160

CHRISTIANA : *Que devenez-vous ? Il y a un siècle que je ne vous ai vu...*

RINÇONNET : *J'ai été malade... une maladie de cœur.* (A part :) *Elle paraît bien nippée... Attaquons la question du remboursement.* (Haut :) *Ah ! Christiana ! je suis bien heureux de vous voir !*

CHRISTIANA : *Mais moi aussi...*

RINÇONNET : *Vrai ?* (Lui prenant la main :) *Cette bonne petite Christiana !... elle est encore plus jolie qu'autrefois.*

CHRISTIANA : *Vous trouvez ?*

RINÇONNET : *Parole d'honneur ! vous avez pris de l'embonpoint, il règne dans toute votre personne un air de prospérité.* (Répétant :) *De prospérité... qui fait plaisir à voir.*

CHRISTIANA, à part : *Tiens ! Tiens ! Tiens !*

RINÇONNET : *Tandis que moi !... ah, je suis bien malheureux, allez !*

CHRISTIANA, à part : *Il cherche à renouer !* (Haut :) *Malheureux... voyons, confiez-moi vos chagrins... et si je puis faire quelque chose...*

RINÇONNET, vivement : *Vous pouvez tout, tout !*

CHRISTIANA : *Quel feu !... Ça vous reprend ?*

RINÇONNET : *Oh ! non ! je ne parle pas de ça !... Christiana, je suis dans une situation pénible... et je viens vous demander un vrai service... vous pouvez me sauver !*

CHRISTIANA : *Si je le puis... c'est fait !*

RINÇONNET : *Ah ! je le savais bien... En deux mots, j'ai joué et j'ai perdu !*

CHRISTIANA, froidement : *Ah !*

RINÇONNET : *Une somme importante... dix mille francs... et comme vous avez été assez bonne autrefois pour m'emprunter cette somme... vous m'avez fait un billet...*

CHRISTIANA : *Oh ! toujours ! je n'accepte jamais...*

RINÇONNET : *Ce billet... je l'ai conservé... comme tout ce qui vient de vous.*

161

CHRISTIANA, d'un ton pénétré : *Moi j'ai gardé vos cheveux.*

RINÇONNET : *Oh ! ça !... je vous en aurais donné d'autres.* (Reprenant :) *Et je viens vous demander si vous pouviez, à votre tour, me prêter... ce que vous m'avez emprunté, je vous ferais un billet !... un vrai !*

CHRISTIANA, lui prenant les mains avec émotion : *Je vous remercie, mon ami, d'avoir compté sur moi...*

RINÇONNET : *Ah !* (A part :) *Elles sont bonnes au fond !*

CHRISTIANA : *Ernest !*

RINÇONNET : *Ernest ! Comment, vous vous rappelez ?...*

CHRISTIANA : *Vous n'aurez pas en vain fait appel à mon cœur... Vous m'avez confié votre position.*

Elle fouille à sa poche.

RINÇONNET, se méprenant : *Déjà ! Vous les avez sur vous ?*

CHRISTIANA, tirant son mouchoir : *Je vais vous faire connaître la mienne.*

RINÇONNET : *Ah !*

CHRISTIANA : *Le malheur aussi s'est abattu sur moi ! Ma famille... je vous demande le secret, n'est-ce pas ?*

RINÇONNET : *Oh ! soyez tranquille !*

CHRISTIANA : *Ma famille... vient d'être éprouvée d'une façon bien cruelle... Il me restait un père... une mère et deux ou trois sœurs...*

RINÇONNET : *Vous ne m'en aviez jamais parlé.*

CHRISTIANA : *Ils habitaient une petite ferme dans le Soissonnais... près de Soissons... que j'avais pu leur acheter à force de sacrifices et de privations... Vos derniers dix mille francs ont servi à cette bonne œuvre... J'ai cru ne pas pouvoir mieux les employer, mon ami.*

RINÇONNET, ému : *Merci, Christiana, merci !*

CHRISTIANA : *Ils vivaient heureux... sous leur toit de chaume... Le bonheur tient si peu de place !*

162

RINÇONNET : *C'est bien vrai.*

CHRISTIANA : *Et avant-hier, un sinistre épouvantable... l'incendie... l'incendie qui ne pardonne pas...*

RINÇONNET : *Vos parents n'étaient pas assurés ?*

CHRISTIANA : *Non... Dans le Soissonnais on ne s'assure pas !... Eh bien, tout ce bonheur a été dévoré en un moment : la ferme n'est plus qu'un monceau de cendres... tout s'est écroulé, il ne reste plus que le second étage !*

RINÇONNET, ému : *Que le second étage !*

CHRISTIANA : *Pas de pompes dans le village... des pompiers, mais pas de pompes : et aujourd'hui ces pauvres gens, surpris dans leur premier sommeil, couchent sous un arbre, sans vêtements, sans pain.*

RINÇONNET, s'attendrissant : *C'est affreux !*

CHRISTIANA : *Et le peu que j'avais, mes dentelles, mes diamants... j'ai tout vendu.*

RINÇONNET, avec conviction : *Ah ! c'est bien ! c'est...* (Apercevant sa broche :) *Mais cette broche ?...*

CHRISTIANA : *C'est du faux !* (Avec désespoir :) *Je porte du faux !*

RINÇONNET : *Pauvre enfant !*

CHRISTIANA : *J'ai tout vendu pour subvenir aux premières nécessités.* (Avec des larmes :) *Et maintenant... c'est bien cruel... je fais un appel suprême... au bon cœur de mes amis... On sera reconnaissant de la plus modeste offrande.*

Elle sanglote.

RINÇONNET, pleurant aussi et tirant son portefeuille : *Pauvres gens ! ils couchent sous un arbre...*

CHRISTIANA : *Sans feuilles !*

RINÇONNET : *Sans feuilles ?*

CHRISTIANA : *Sans vêtements ! et sans pain !...*

RINÇONNET : *C'est navrant.* (Donnant un billet de banque à Christiana :) *Tenez... prenez vingt francs là-dessus... et rendez-moi le reste.*

CHRISTIANA, à part : *Mille francs ! et il emprunte*

de l'argent aux femmes ! Ah ! je ne le croyais pas tombé si bas !

RINÇONNET, pleurant : *Rendez-moi la monnaie.*

CHRISTIANA : *Je ne l'ai pas sur moi... je vous la ferai porter.* (A part :) *En voilà un que je ne recevrai plus !*

Elle sort vivement avec le billet (III, 8).

Vieillard bafoué, enfant abandonné qui pleure de devoir renoncer à une bienveillance féminine, Rinçonnet n'a plus rien à attendre que la fessée paternelle : celui qui l'administre est le même qu'il devra charger désormais d'administrer ses biens.

CORNADOR, sautant sur Rinçonnet et le prenant à la gorge : *Ah ! gredin ! je te tiens !*

RINÇONNET : *Quoi ? Lâchez-moi !*

CORNADOR : *Mes onze mille francs !*

RINÇONNET : *Vous m'étranglez !*

CORNADOR : *Dans le porte-cigares... Je sais tout !*

RINÇONNET : *Eh bien ! oui... c'est vrai !*

CORNADOR : *Rends-les moi !*

RINÇONNET : *Je ne les ai plus, j'ai fait un paiement.*

CORNADOR : *Au Jardin d'Acclimatation... onze mille francs... Tu as donc acheté tous les éléphants ?*

RINÇONNET : *Si vous ne me croyez pas, fouillez-moi.*

CORNADOR : *Certainement que je vais te fouiller !* (Trouvant le porte-cigares :) *Ah ! le voilà... je le savais bien !* (L'ouvrant :) *Il est vide !*

RINÇONNET : *Quand je vous le disais.*

CORNADOR : *Dans son chapeau.*

Il lui prend son chapeau et en arrache la coiffe.

RINÇONNET : *Ne le déchirez pas !... c'est mon neuf !*

CORNADOR : *Ils sont dans tes bottes !*

RINÇONNET : *J'espère que vous n'allez pas me les faire retirer.*

CORNADOR : *Non... pas ici...* (A part :) *J'ai mon idée.* (Haut, très gracieusement :) *Mon ami, nous allons prendre un grog... tous les deux, au Pavillon de Madrid.*

Rinçonnet : *Un grog ! Vous êtes bien bon... je n'ai pas soif... ma femme m'attend pour dîner.*

Cornador, avec colère : *Suis-moi !... ou je vais déposer ma plainte !*

Rinçonnet : *Non ! J'accepte le grog !*

Cornador, à part : *Je prends un cabinet particulier et une fois là... je l'inspecte des pieds à la tête...* (A Rinçonnet :) *Venez !*

Rinçonnet : *Marchons !*

Cornador *: Un instant !* (A part :) *En route, il peut chercher à s'échapper.* (Haut :) *Otez vos bretelles !*

Rinçonnet, résistant : *Mes bretelles !... Mais mon pantalon va tomber !*

Cornador : *C'est ce qu'il faut !*

Rinçonnet : *Au nom de la morale, je proteste !*

Cornador : *Ça ose parler morale ! Tes bretelles ! ou je dépose ma plainte !*

Rinçonnet, vivement : *Non !* (Il tire ses bretelles et les remet à Cornador.) *Les voilà !*

Cornador : *Maintenant, en route !*

Rinçonnet, tenant son pantalon : *Mais mon pantalon tombe.*

Cornador : *C'est ce qu'il faut !*

Le Gardien, paraissant : *On ferme !... on ferme !*

Cornador entraîne Rinçonnet pendant que les promeneurs paraissent. Rideau (III, 9).

Après la débandade du vieux Rinçonnet et l'enacanaillement résolu du jeune Agénor, Labiche, comme le gardien, n'a plus qu'à « fermer », coupant court à l'exhibition d'une ménagerie dont les spectateurs deviennent bêtes curieuses. Il envoie Rinçonnet « se rhabiller », et endosse l'Habit Vert. Mais Labiche, l'épée à la hanche, contant la vie sans tache de Monsieur de Sacy avec plus d'application que n'en mit jamais Emile Bèche à réciter les verbes déponents, trouva peut-être plaisir à jouer sa dernière scène et à arborer son premier déguisement — avant d'énoncer ses « premières volontés ». Une fois encore il se fait connaître par personnage interposé, et dans ce personnage-là il nous faut bien renoncer à distinguer le vrai du faux. Rien ne nous prouve même que la nuit du 27 janvier 1881, après le banquet des « anciens » de Condorcet, Eugène Labiche rêva d'une escapade rue de Lourcine.

Zola, rendant compte en 1878 des pièces publiées par Labiche, retenait surtout celles qui, tel *Edgard et sa bonne,* renvoient à la société du temps : « *C'est toujours la même bonhomie, le même rire facile ; seulement, il n'est plus dans la fantaisie absolue, il effleure la vie ; il saute à pieds joints les égouts, il touche du bout des doigts aux plaies les plus vives. C'est un homme aimable qui joue avec le feu, sans se brûler et sans jamais effrayer personne*[1]. »

Labiche fut apparemment sensible à cet éloge, puisqu'on connaît deux lettres de remerciements adressées par lui à l'auteur des *Rougon-Macquart.* Pourtant, la postérité se montra longtemps inattentive à l'aspect réaliste de son œuvre, dont elle trouva timides les hardiesses et pauvres les enseignements. En 1906, vingt ans après la mort de Labiche, la Comédie-Française n'obtint qu'un demi-succès avec la reprise du *Voyage de Monsieur Perrichon.* Et à cette occasion Adolphe Brisson, critique du *Temps,* notait : « ... *On s'explique que les petites pièces de Labiche aient péri. Elles ne contentent personne. Les spectateurs, en quête de gaillardise et dont le goût est corrompu par le cynisme du vaudeville moderne, les trouvent fades.*

---

1. Article publié dans *Le Bien public,* 17 juin 1878, et repris dans Zola, *Œuvres critiques II.* Cercle du Livre Précieux, chapitre intitulé « Eugène Labiche », pp. 705-712.

*Aux spectateurs plus sérieux et qui demandent à être
nourris, elles paraissent superficielles* [1]. »

La remarque sans doute reste valable. L'insatisfaction du spectateur resté sur sa faim ne reflète-t-elle
pas, au surplus, celle qui poussait Labiche, exaspéré
par l'échec et inassouvi par le succès, à reprendre toujours une tentative de libération chaque fois insuffi-
sante et dangereuse, décourageante par sa répétition,
inquiétante par ses possibilités d'imprévisible renouvellement ; incompatible surtout avec la nécessité de
séduire un public résolument attaché aux chaînes qu'il
s'est données.

Fasciné et terrorisé par l'image d'une catastrophe
qui serait réussite totale, sans cesse obligé de trouver
de nouvelles entraves à sa propre liberté, Labiche est
à l'image de ce bourgeois qui à la fois se veut tout-
puissant et redoute l'aventure indispensable à l'exten-
sion de son pouvoir ; il reproduit aussi la conduite du
petit enfant pressé de faire la loi et de satisfaire ses
désirs, anxieux à l'idée de perdre du même coup ses
protecteurs tyranniques. Est-il possible aujourd'hui de
montrer et de critiquer par la mise en scène cette
contradiction profonde, aussi difficile à résoudre qu'à
voir en face ? Si l'on y parvenait, le rire serait alors
celui de la compréhension, et non plus seulement brusque relâchement d'une tension inconsciente. Il s'agirait
peut-être pour cela, non de « dater » l'œuvre de
Labiche plus qu'il ne la date lui-même — elle ne
montre l'histoire que comme actualité légèrement chan-
geante — mais de mettre en lumière ce qu'elle dit
implicitement : l'échec des révoltes qui, rêvées et
non pensées, s'effrayent vite de leur propre violence
et supplient qu'on les réprime.

Ce n'est pas par hasard que les metteurs en scène
pour qui le plaisir du théâtre passe avant l'attrait des
problèmes reprennent de préférence *Un chapeau de*

---

1. *Le Temps,* 14 mai 1906.

paille d'Italie : l'action s'y déroule tout entière sur un plan symbolique, où le vrai et le faux, le réel et l'imaginaire, ne s'opposent plus. A ce titre, on peut dire que le *Chapeau,* récit d'une victoire durement remportée, est la seule indiscutable réussite de Labiche.

CHRONOLOGIE DES PIECES DE LABICHE[1]

I. Théatre Beaumarchais :
A moitié chemin (12-8-1848).

II. Théatre des Bouffes-Parisiens :
L'Omelette à la Follembuche (8-6-1859).
La Main leste (6-9-1867).

III. Comédie-Française :
Moi (21-3-1864).
La Cigale chez les fourmis (23-5-1876).

IV. Théatre des Folies-Dramatiques :
Rocambole le bateleur (22-4-1846).
La Chasse aux jobards (18-5-1847).
Un monsieur qui pose (6-2-1849).

V. Théatre de la Gaieté :
Les Prétendus de Gimblette (24-11-1850).

VI. Théatre du Luxembourg :
La Peine du talion (juin 1839).

VII. Théatre du Gymnase :
Bocquet père et fils ou Le Chemin le plus long (17-8-1840).
L'Enfant de la maison (21-11-1845).
Un homme sanguin (15-8-1847).

---

1. Cette liste est reprise de l'édition des Œuvres complètes de Labiche en huit volumes, publiée par le Club de l'Honnête homme de 1966 à 1968 sous la direction de Gilbert Sigaux. Outre son intérêt documentaire, elle présente celui de rappeler que le choix opéré dans le présent ouvrage parmi les œuvres de Labiche est limitatif et risque en outre de faire oublier le rythme de production imposé au vaudevilliste. Les citations sont extraites de la même édition.

L'Art de ne pas donner d'étrennes (29-12-1847).
Histoire de rire (13-8-1848).
A bas la famille ou Les Banquets (16-12-1848).
Les Petits moyens (16-11-1850).
Un gendre en surveillance (11-12-1857).
Le Baron de Fourchevif (15-6-1859).
Les Deux timides (16-3-1860).
Le Voyage de Monsieur Perrichon (10-9-1860).
J'ai compromis ma femme (13-2-1861).
La Poudre aux yeux (19-10-1861).
Le Premier pas (15-5-1862).
Permettez, madame (21-2-1863).
Un mari qui lance sa femme (23-3-1864).
Le Point de mire (12-12-1864).
Brûlons Voltaire (7-3-1874).
Madame est trop belle (30-3-1874).

VIII. Opéra Comique :
Le Voyage en Chine (9-12-1865).
Le Fils du brigadier (25-2-1867).
Le Corricolo (27-11-1868).

IX. Théâtre du Palais-Royal :
Monsieur de Coyllin ou L'Homme infiniment poli (2-7-1838).
Le Lierre et l'ormeau (25-12-1840).
Les Circonstances atténuantes (26-2-1842).
L'Homme de paille (12-5-1843).
Le Major Cravachon (15-2-1844).
Deux papas très bien ou La Grammaire de Chicard (16-11-1844).
Le Roi des Frontins (28-3-1845).
L'Ecole buissonnière (23-7-1845).
Mademoiselle ma femme (9-4-1846).
Frisette (28-4-1846).
L'Inventeur de la poudre (17-6-1846).
L'Avocat pédicure (28-4-1847).
Un jeune homme pressé (4-4-1848).
Le Club champenois (8-6-1848).
Une chaîne anglaise (4-8-1848).
Agénor le dangereux (16-9-1848).
Une tragédie chez Monsieur Grassot (12-12-1848).

Les Manchettes d'un vilain (3-2-1849).
Une dent sous Louis XV (15-2-1849).
Trompe-la-balle (8-4-1849).
Exposition des produits de la République (20-6-1849).
Embrassons-nous, Folleville ! (6-3-1850).
Traversin et Couverture (20-4-1850).
Un garçon de chez Véry (10-5-1850).
Le Sopha (18-7-1850).
La Fille bien gardée (6-9-1850).
Un bal en robe de chambre (12-10-1850).
La Femme qui perd ses jarretières (8-2-1851).
On demande des culottières (2-3-1851).
Mam'zelle fait ses dents (9-4-1851).
En manches de chemise (8-8-1851).
Un chapeau de paille d'Italie (14-8-1851).
Maman Sabouleux (13-4-1852).
Soufflez-moi dans l'œil (1-5-1852).
Le Misanthrope et l'Auvergnat (10-8-1852).
Piccolet (30-9-1852).
Edgard et sa bonne (16-10-1852).
Le Chevalier des dames (16-12-1852).
Mon Isménie (17-12-1852).
Une charge de cavalerie (31-12-1852).
Un ut de poitrine (2-5-1853).
La Chasse aux corbeaux (25-6-1853).
Un feu de cheminée (31-7-1853).
Deux profonds scélérats (24-2-1854).
Espagnolas et Boyardinos (7-6-1854).
Otez votre fille, s'il vous plaît (24-11-1854).
La Perle de la Canebière (10-2-1855).
Les Précieux (7-8-1855).
En pension chez son groom (2-2-1856).
Monsieur de Saint-Cadenas (20-2-1856).
La Fiancée du bon coin (16-4-1856).
Si jamais je te pince (9-5-1856).
Mesdames de Montenfriche (14-11-1856).
Un monsieur qui a brûlé une dame (29-11-1856).
Le Bras d'Ernest (26-1-1857).
L'Affaire de la rue de Lourcine (26-3-1857).
La Dame aux jambes d'azur (11-4-1857).
Les Noces de Bouchencœur (10-6-1857).
Le Secrétaire de Madame (5-10-1857).

Je croque ma tante (14-2-1858).
Le Clou aux maris (1-4-1858).
L'Avare en gants jaunes (1-5-1858).
Madame est aux eaux (30-6-1858).
Le Grain de café (8-11-1858).
Le Calife de la rue Saint-Bon (7-12-1858).
En avant les Chinois ! (24-12-1858).
L'Avocat d'un Grec (9-1-1859).
L'Amour, un fort volume prix 3 F. 50 C. (16-3-1859).
Voyage autour de ma marmite (29-11-1859).
J'invite le colonel ! (16-11-1860).
La Sensitive (10-3-1860).
La Famille de l'horloger (29-11-1860).
Un gros mot (29-11-1860).
La Station Champbaudet (7-3-1862).
Les 37 sous de M. Montaudoin (30-12-1862).
La Dame au petit chien (6-2-1863).
Célimare le bien-aimé (27-2-1863).
La Commode de Victorine (23-12-1863).
La Cagnotte (22-2-1864).
Premier prix de piano (8-5-1865).
La Bergère de la rue Monthabor (1-12-1865).
Un pied dans le crime (21-8-1866).
La Grammaire (28-7-1867).
Les Chemins de fer (25-11-1867).
Le Papa du prix d'honneur (6-12-1868).
Le Roi d'Amitabou (27-11-1868).
Le Dossier de Rosafol (20-3-1869).
Le Plus heureux des trois (11-1-1870).
Le Livre bleu (15-7-1871).
Il est de la police (7-5-1872).
Doit-on le dire ? (20-12-1872).
29° à l'ombre (9-4-1873).
La Pièce de Chambertin (1-4-1874).
Les Samedis de Madame (15-9-1874).
Un mouton à l'entresol (30-4-1875).
Le Prix Martin (5-2-1876).
La Clé (5-1-1877).

X. THÉATRE DU PANTHÉON :
L'Avocat Loubet (28-8-1838).

XI. Théâtre Saint-Marcel :
La Forge des châtaigniers (4-4-1839).

XII. Théâtre des Variétés :
Le Fin mot (21-7-1840).
Oscar XXVIII (29-7-1848).
Madame veuve Larifla (25-1-1849).
Mon ours (17-2-1849).
Rue de l'homme armé, n° 8 bis (24-9-1849).
Pour qui voterai-je ? (1-12-1849).
Une clarinette qui passe (4-1-1851).
Un monsieur qui prend la mouche (25-3-1852).
Deux gouttes d'eau (22-9-1852).
Un ami acharné (19-1-1853).
On dira des bêtises (11-2-1853).
Un notaire à marier (19-3-1853).
Un mari qui prend du ventre (8-4-1854).
Les Cheveux de ma femme (19-1-1856).
Deux merles blancs (12-5-1858).
L'Ecole des Arthur (30-4-1859).
L'Amour en sabots (3-4-1861).
L'Homme qui manque le coche (31-10-1865).
La Mémoire d'Hortense (15-11-1872).
Garanti dix ans (12-12-1874).
Les Trente millions de Gladiator (22-1-1875).
La Guigne (27-8-1875).
Le Roi dort (31-3-1876).

XIII. Théâtre du Vaudeville :
L'Article 960 ou La Donation (20-8-1839).
Le Baromètre ou La Pluie et le beau temps (1-8-1848).
Les Suites d'un premier lit (8-5-1852).
Les Marquises de la fourchette (31-8-1854).
Monsieur votre fille (2-3-1855).
Les Petites mains (20-11-1859).
Le Rouge-gorge (9-12-1859).
Les Vivacités du capitaine Tic (16-3-1861).
Le Mystère de la rue Rousselet (6-5-1861).
Les Petits oiseaux (1-4-1862).
Le Petit voyage (1-12-1868).
Le Choix d'un gendre (22-4-1869).
Le Cachemire X. B. T. (24-2-1870).
L'Ennemie (17-10-1871).

173

XIV. Pièces dont on ignore le lieu et la date
    exacte de la première représentation :
La Cuvette d'eau (1837).
Le Capitaine d'Arcourt ou La Fée du château (1838).
La Lettre chargée.
L'Amour de l'art.
Un coup de rasoir.

TRAVAUX CONSULTÉS

Emile Augier, Préface au *Théâtre complet* de Labiche, Calmann-Lévy, 1878.

Ferdinand Brunetière, « Le Théâtre de Monsieur Labiche », *Revue des deux mondes,* 15 septembre 1879.

Jules Claretie, *Eugène Labiche,* Quentin, 1883.

René Doumic, *De Scribe à Ibsen,* Perrin, 1896.

G.-P. Labiche, *Eugène Labiche, sa vie, son œuvre,* Jouve, 1938.

Bernard Dort, Comptes rendus des *Trente millions de Gladiator* et de *La Poudre aux yeux* à la Comédie-Française, dans *Théâtre Populaire,* n° 32, 4ᵉ trimestre, 1958 et « Un monsieur et une société », présentation du *Plus heureux des trois,* joué par la compagnie Robert Postec au Théâtre de la Huchette en octobre 1956.

Philippe Soupault, *Eugène Labiche,* Mercure de France, 1964.

Emile Zola, « Eugène Labiche », dans *Œuvres critiques II,* Cercle du Livre Précieux.

Richard Monod, « Plaire et dire », et Jean-Pierre Sarrazac, « Notre plaisir à Labiche », *Cahiers du Studio Théâtre de Vitry,* n° 6-7.

Jacques Gilardeau, *Eugène Labiche, Histoire d'une synthèse comique inespérée,* thèse pour le doctorat ès lettres, 1970, à paraître.

Raymond Ravanbaz, *Voyages et aventures dans le théâtre d'Eugène Labiche,* diplôme d'études supérieures de lettres classiques, exemplaire dactylographié.

TABLE

EUGÈNE LABICHE 7

EMILE BÈCHE 26

DE L'HOMME DE PAILLE AU CHAPEAU DE PAILLE 33

LE FAUX ET LE VRAI 53

« OTEZ VOTRE FILLE, S'IL VOUS PLAIT » 70

LE FILS DE JOCASTE 78

LA MÈRE DE GLACE 95

APRÈS « MOI », « LES CHEMINS DE FER » 114

« DOIT-ON LE DIRE ? » 133

LA CLEF DES CHAMPS 157

Chronologie des pièces de Labiche 169

Travaux consultés 174

ACHEVÉ D'IMPRIMER LE 8 OCTOBRE 1971
PAR CORBIÈRE ET JUGAIN, ALENÇON
DÉPOT LÉGAL : 4ᵉ TRIM. 1971.